INTERMEDIATE KOREAN SHORT STORIES

12 Captivating Short Stories to Learn Korean & Grow Your Vocabulary the Fun Way!

Intermediate Korean Stories

Lingo Mastery

www.LingoMastery.com

CONTENTS

INTRODUCTION

Hello, Readers!

If you are considering reading this book, then you must have made impressive progress in learning Korean. Congratulations! However, please don't rest on your laurels since that is one of the most common mistakes that language learners make. Learning a language is not an easy process. Although learning some vocabulary and phrases may help you advance your speaking skills, you will inevitably face a language barrier, since you will not know the usages of the acquired knowledge.

This book consists of twelve short stories in Korean, which were specially written for Korean intermediate learners. This book aims to provide you with a comprehensive experience in the Korean language and expose you to rich and practical vocabulary, useful grammar structures, and commonly used expressions. Reading these twelve stories will advance your Korean language knowledge and skills to the next level.

Most learners find reading a book particularly challenging because they do not know the usage of words they have learned, and other ways of learning may seem more entertaining. However, reading is an essential part of learning a language and has been proven to be one of the most efficient ways to learn a foreign language. Reading helps you become familiar with the proper use of the language, such as grammar, fixed phrases, and word choice. Besides, research has shown that it exposes you to more sentences per minute than the average movie or TV show. Reading a book is particularly important because, although TV shows may teach you informal communication, they do not provide the essential aspects of language such as wordplay and homonyms, which advance your understanding of the language.

When creating this book, we tried to achieve a balance between challenge and entertainment. Having come this far with your Korean language learning, we are sure that you are already familiar with basic vocabulary and grammatical structures; therefore, you may be able to grasp most of the contents. Yet, the book gives you much room for further growth by exposing you to unfamiliar vocabulary and homonyms that usually confuse learners. Therefore, this book will measure your current language learning level and inspire you to move beyond the elementary level.

The twelve stories are entertaining, educational, and filled with more advanced, helpful vocabulary—combined with a variety of intermediate-level grammar structures—than our previous story book for **beginners**. Also, a learning support section is provided at the end of each story, such as a word list, summary, and multiple-choice questions that will enhance your understanding of the story and help you absorb all the details to improve at a rapid pace.

We sincerely hope that you will find this book entertaining for both academic and casual reading.

What is the following book about?

We've written this book to cover an important issue that seems to affect every new learner of the Korean tongue—a lack of helpful reading material. While in English you may encounter tons (or gigabytes, in modern terms) of easy and accessible learning material, in Korean you will, usually, be promptly given tough literature to read by your teachers, and you will soon find yourself consulting your dictionary more than you'd want to. Eventually, you'll find yourself bored and uninterested in continuing, and your initially positive outlook may turn sour.

Our goal with this book will be to supply you with useful, entertaining, helpful and challenging material that will not only allow you to learn the language, but also help you pass the time and make the experience less formal and more fun—like any lesson should be. We will not bore you with grammatical notes, spelling or structure: the book has been well-written and revised to ensure that it covers those aspects without having to explain them in unnecessarily complicated rules like textbooks do.

If you've ever learned a new language through conversational methods, teachers will typically just ask you to practice speaking. Here, we'll teach you writing and reading Korean with stories. You'll learn both how to read it *and* write it with the additional tools we'll give you at the end of each story.

Intermediate short stories for readers? What does that mean?

We don't want the word to be misleading for you. When thinking about you as an experienced learner, we focused on combining two things:

1. Providing you with easy-to-understand words and structures;
2. Avoiding simplistic content.

Judging by our extensive experience, it's impossible to make any impressive progress by dealing only with material that you are absolutely comfortable with. Dive into the unknown, make an effort, and you'll be rewarded.

To make things easier for you, we picked only common words—no rocket science, that's for sure. You won't encounter any complex sentences with multiple clauses and prepositions.

Just take the final step on your own—apply your diligence and work hard to get to the next level.

The suggested steps of working with this book

1. First, just read the story. Chances are you already know many words.
2. Then read it again, referring to the vocabulary. Note that our vocabulary is much easier to use than a conventional dictionary because:
   a. the words are listed in order of their appearance in the text;
   b. the translations are given in the very form you find them in the text;
   c. the most complex words are given as word combinations to let you grasp the grammatical structure.
3. Now that you think you understand the major plot of the story, check your understanding by referring to the summary of the story that is provided both in Korean and English.
4. Go over to the Questions section to check if you've understood the details.
5. Check if you were right in the Answers section.
6. And at last—time to enjoy. Read the story once again, getting pleasure from the feeling of great achievement. You deserve it!

What if I don't understand everything?

Remember—understanding each and every word is not your goal. Your goal is to grasp the essence of the story and enrich your vocabulary. It is **absolutely normal** that you may not understand some words or structures and that sometimes you may ultimately not entirely understand what the story is about.

Other recommendations for readers

Before we allow you to begin reading, we have a quick list of some other recommendations, tips and tricks for getting the best out of this book.

1. Read the stories without any pressure: feel free to return to parts you didn't understand and take breaks when necessary. This is like any fantasy, romance or sci-fi book you'd pick up, except with different goals.
2. Feel free to use any external material to make your experience more complete: while we've provided you with plenty of data to help you learn, you may feel obliged to look at textbooks or search for more helpful texts on the Internet—do not think twice about doing so! We even recommend it.
3. Find other people to learn with: while learning can be fun on your own, it definitely helps to have friends or family joining you on the tough journey of learning a new language. Find a like-minded person to accompany you in this experience, and you may soon find yourself competing to see who can learn the most!
4. Try writing your own stories once you're done: all of the material in this book is made for you to learn not only how

to read, but how to write as well. Like what you read? Try writing your own story now, and see what people think about it!

FREE BOOK!

Free Book Reveals The 6 Step Blueprint That Took Students
From Language Learners To Fluent In 3 Months

One last thing before we start. If you haven't already, head over to **LingoMastery.com/hacks** and grab a copy of our free Lingo Hacks book that will teach you the important secrets that you need to know to become fluent in a language as fast as possible. Again, you can find the free book over at **LingoMastery.com/hacks**.

Now, without further ado, enjoy these 10 Japanese Stories for Intermediate learners.

Good luck, reader!

CHAPTER 1
사라지는 꿈 / **THE DREAM THAT SHATTERED**

저는 아주 **어렸을 때**부터 **발레리나**가 되고 싶었습니다. **고등학생 시절**, 화요일이나 수요일에 **교실**에 모여 명사를 초청하여 이야기를 **나누곤** 했습니다. 이 **경험**을 통해 **직업**에 대한 많은 것을 배울 수 있었습니다. 초청 강사는 **경찰관**이 2 명, **국어** 선생님 3 명, **외국인** 선생님 2 명, **작가** 1 명, **화가** 1 명, 그리고 **발레리나** 1 명으로 이루어져 있었습니다. 그들 중 제일 재밌게 이야기를 들었던 분은 **발레리나**였습니다. 그녀의 이름은 조수아였는데, 그 그룹 중에 제일 아름답고 **우아하신** 분이었습니다. **발레리나** 유니폼을 입은 모습을 본 적은 없지만, 그녀는 무슨 옷을 걸치건 항상 **우아해** 보였습니다. 그녀를 통해 **발레리나**의 **평범한** 하루를 알 수 있었습니다. 매일 아침 10 시 스트레칭을 하고 2 시간에서 3 시간 **동안** 발레 **연습**을 하신다고 들었습니다.

"**연습 전** 스트레칭은 너무 **중요해요**! 아니. 발레만이 아니고 무슨 **운동**이건 스트레칭 없이는 너무 **위험해요**"라고 말씀하셨습니다. 그러자 제 **친구** 민우가 왜냐고 물었습니다. 저는 **당연한** 것 아니냐며 제 **친구**에게 눈치를 주곤 했습니다.

그녀가 말하길 "스트레칭 없이는 부상의 **위험**이 너무 커요."

"혹시 **운동** 중 다치신 적이 있나요?" **담임 선생님**이 물었습니다.

그러자 그녀는 고개를 끄덕였습니다. "물론이죠. **여러 번** 있어요." 그리고 지난 과거 얼마나 많은 부상이 있었고 얼마나 힘들었는지 이야기를 나눴습니다. 그녀가 말하는 **발레리나**의 수많은 고충에도 불구하고 저는 아직 **발레리나**라는 직업에 매료되어 있었습니다. 저도 그렇게 **매력**이 있는 삶을 **살고** 싶었습니다. 그녀는 **어릴 때**부터 발레를 시작했습니다.

조수아 **발레리나**님을 만난 **후**로 저는 매일 스트레칭과 발레 **연습**을 하기 시작했습니다. 심지어 밤에 **꿈**속에서도 발레를 하는 **꿈**을 꾸기도 했습니다. **고등학교 졸업 후** 만약 전문적으로 발레를 하면서 **과외** 일을 병행한다면 얼마나 좋을까 동경하곤 했습니다.

저는 **어릴 때**부터 **발레리나**가 꿈이었습니다. **어느 날 친구**들과 **농구**를 즐기기 전 스트레칭을 **하지 않아** 다친 적이 있습니다. **레이업 슛**을 시도하던 중 **바보같이 넘어져 발목을 삐게** 되었습니다. 그 **순간** 조수아 **발레리나**님께서 했던 말이 생각났습니다. "**운동 전** 스트레칭을 **하지 않으면 위험**할 수가 있어요." 문득, 그녀가 저의 다친 모습을 본다면 얼마나 **실망**스러울까 자책했습니다.

그날 이**후** 저는 **병원**에서 스를 한 채로 3 주간 입원해야 했습니다. 하지만, 저는 그 **後** 청천벽력 같은 소식을 들어야만 했습니다. **의사 선생님**께서 제가 더 이상 발레를 **할 수 없다**는 것이었습니다. 그 **순간**에 저는 저의 모든 삶이 산산조각나는 듯 했습니다.

요약 Summary

글쓴이는 어렸을 때부터 발레리나가 되고 싶어했습니다. 고등학생 시절 그녀는 화요일이나 수요일마다 교실에서 여러 사람들과 서로의 직업에 대해 많은 이야기를 나누곤 했습니다. 그룹 인원 중에는 조수아라는 가장 우아하고 아름답게 보이는 발레리나분이 있었습니다. 그녀의 삶 하루하루가 글쓴이에게는 너무 흥미로웠습니다. 그녀가 말하는 수많은 고충에도, 글쓴이는 발레리나의 삶이 흥미로워 보였고 이를 계기로 발레에 폭 매료되었습니다. 그 발레리나는 준비 운동 없이는 몸을 다칠 수 있다며 항상 스트레칭의 중요성을 강조했습니다. 하지만 글쓴이는 어느 날 스트레칭을 하지 않아 사고로 발목을 다치면서 발레리나의 꿈이 산산조각 나게 되었습니다.

Ever since she was young, the author wanted to be a ballerina. When she was in high school, on a Tuesday or a Wednesday, a group of people came to her homeroom classroom and spoke to her about their various jobs. Out of all of them, she found the ballerina to be the most wonderful and the most elegant. Her everyday life seemed so fascinating to the author. Despite the struggles that the ballerina shared about her job, the job attracted the author. The ballerina told the class that the most important thing to do before exercising is some stretching because otherwise you might hurt yourself. One day, while the author was playing basketball with some friends, she was doing a layup shot and fell over, twisting and spraining her ankle in the process. Suddenly, her dreams of becoming a professional ballet dancer shattered.

사용된 단어들Vocabulary List

- **어렸을 때**: when I was young
- **발레리나**: ballerina
- **님**: an honorific title
- **초등학교**: elementary school
- : homeroom
- **교실**: classroom
- **동급생**: classmate
- **작업자**: worker (of any job)
- **설명하다**: to explain
- **얻다**: to gain, to accumulate
- **경험**: experience
- **나누다**: to share
- **경찰관**: police officer
- **국어**: Korean language
- **글쓴이**: writer, author
- **외국인**: foreigner
- **화가**: painter
- **우아하다**: to be elegant

- **재미있다**: to be interesting, to be fun
- **직업**: job
- **차례**: one's turn
- **때**: time, moment, moment in time
- **평범하다**: to be ordinary, to be regular
- **운동**: exercise, sport
- **중요하다**: to be important
- **동안**: during
- **전에**: before
- **후에**: after
- **무엇든지**: whatever
- **~하지 않다**: to not do something
- **위험하다**: to be dangerous
- **묻다**: to ask
- **당연하다**: to be obvious
- **자신**: oneself
- **다치다**: to be hurt, to be injured

14

- 심하다: to be extreme
- 심하게: extremely, to the extreme
- 담임 선생님: homeroom teacher
- 여러 번: several times
- 매력: glamor, appeal
- 세상: world
- 살다: to live
- 연습하다: to practice
- 방문하다: to visit
- 고등학교: high school
- 졸업하다: to graduate
- 튜터링: tutoring
- 중학교: middle school
- 학생: student
- 어느 날: one day
- 친구: friend
- 농구하다: to play basketball
- 바보: fool, idiot
- 넘어지다: to fall
- 발목: ankle
- 이다: to twist (a body part)
- 삐다: to sprain
- 레이업: a basketball layup
- 숏: shot
- 순간: moment
- 실망되다: to be disappointed
- 실망하다: to disappoint
- 상상하다: to imagine
- ~할 수 밖에 없다: can't help but to do something
- 병원: hospital
- 스: cast (medical device)
- 의사 선생님: doctor
- 흥미다: to be exciting
- 꿈: dream
- 사라지다: to disappear
- 컴퓨터 프로그래머: computer programmer
- 건축가: architect
- 시절: period in time

1. 어렸을 때부터 무엇이 되고 싶었습니까?

   . 작가가 되고 싶었습니다.

   . 컴퓨터 프로그래머가 되고 싶었습니다.

   C. 발레리나가 되고 싶었습니다.

   . 건축가가 되고 싶었습니다.

2. 언제부터 발레리나를 꿈꾸었습니까?

   . 다섯 살 때부터 발레리나를 꿈꾸었습니다.

   . 태어났을 때부터 발레리나를 꿈꾸었습니다.

   C. 고등학교 때부터 발레리나를 꿈꾸었습니다.

   . 이모의 발레 공연을 본 후부터 발레리나를
   꿈꾸었습니다.

3. 왜 많은 사람들이 한 교실에 모이게 됐습니까?

   . 서로의 직업에 대해 이야기하려고 교실에 모였습니다.

   . 우리 선생님이 아파서 교실로 모였습니다.

   C. 우리 선생님 수업에 도움을 주려고 교실로
   모였습니다.

   . 우리 선생님 생일을 축하드리려고 교실로 모였습니다.

   . 조수아 발레리나님이 무슨 중요한 말씀을
   하셨습니까?

4. 발레리나는 매일 아침 9 시부터 저녁 9 시까지 연습해야 한다고 말씀했습니다.

    F. 책을 많이 읽는 것은 중요하다고 말씀했습니다.

    . 운동하기 전 스트레칭은 중요하다고 말씀했습니다.

    . 발레리나는 다른 언어를 할 줄 알아야 한다고 말씀했습니다.

5. 어떻게 발목을 삐었습니까?

    . 테니스를 하면서 발목을 삐었습니다.

    . 친구들이랑 달리기하다가 발목을 삐었습니다.

    C. 친구들이랑 농구하는 중 발목을 삐었습니다

    . 침대에서 넘어져서 발목을 삐었습니다.

정답 Answers

1. C - I wanted to be a ballerina when I was younger.
2. C - I dreamed of becoming a ballerina since high school.
3. A - They came to our classroom to talk to us about their jobs.
4. C - She said that stretching before doing any form of exercise is really important.
5. C - I twisted my ankle while playing basketball with my friends.

CHAPTER 2

낡은 상점 / **AN OLD STORE**

"성아야! 와 정말 **오랜만이다**. 어떻게 지냈어?" 어디선가 여자 목소리가 들려왔다.

"어.. **누구.. 세요**? 뭐야? 네가 왜 **여기** 있어?" 성아가 의심적은 목소리로 말했다.

"나 경미야 경미! 너 성아 아니야? 그 율동 **초등학교** 이성아."

"경미? 아! 경미야? 뭐야? 네가 왜 **여기** 있어? 정말 **오랜만이다**. 잘 지내?" 성아는 낯선 이가 경미인 것을 눈치채고는 연달아 질문을 던졌다.

"**집 가는** 길이라서 그냥 지나치는 거지 뭐.. 근데 너야말로 **여기서 뭐 해**?"

"아.. 이 근처가 **집이구나**. 나는 그냥 어릴 때 **생각나서** 한 번 들러봤지. **여기** 안 온 지도 몇십 년인데 .. 그나저나 우연하게 널 만났네. 이게 가능하긴 한 일인가?" 성아는 오랫동안 보지 못했던 경미를 우연히 만난 것이 너무 신기했다.

"그러게 나도 너무 신기하다. 그나저나 왜 **연락**이 도통 없었어? 동창회도 잘 안 나오고.. **초등학교 기억**난다면서 얼굴을 보여줘야 옛날 얘기도 하고 하지 **가시나**야." 경미는 성아의 눈을 정면으로 **바라보며** 말했다.

성아는 어떻게 대답해야 할지 잠깐 고민하다가 거짓을 조금 섞어서 말하기로 했다.

"아.. 내가 **초등학교** 졸업한 후로 유학을 갔어. 중고등학교 다 미국에서 나오고 지금은 타지 생활 접고 한국에 정착하려고. 그때는 전화기 한 통 없던 **시절**이니깐 **연락**이 안 됐지." 성아가 **초등학교** 졸업 후 전화번호가 없어서 **연락**을 못 했던 것은 사실이지만 성아는 마음만 먹으면 **초등학교** 동창과 **연락**이 닿을 방법이 있었다. 다만 귀찮기도 하고 다른 사람 인생에 신경 쓰는 것이 싫어서 **연락**을 안 했을 뿐이었다.

"그렇구나. 아 맞다! 경우 **기억나**? 이경우. 왜 네가 **좋아했던** 애 있잖아 **초등학교** 때. 네가 나한테 경우랑 친해지게 도와달라고 한동안 사탕도 주고 밥도 사주고 해서 엄청 달달 볶았는데. 결국에 내가 너한테 못 이겨서 경우랑 소개해 줬잖아. **기억나**?" 경미는 **초등학교 시절**을 추억하며 말했다.

"그럼 **기억나지**. 그땐 정말 **좋아했었는**데 **초등학**교 졸업 후에는 **연락**을 한 적은 없어." 성아도 경미를 따라서 **초등학교 시절 기억**에 잠겼다.

성아는 **초등학교 시절** 이경우라는 동급 **학생**한데 폭 빠져 있었다. 성아는 시도도 한 번 하지 않고 자연스럽게 졸업해서 경우랑 헤어지고 싶지는 않았다. 그래서 경미를 조르고 졸라서 밸런타인데이 때 경우를 불러달라고 한 것이다.

"그러고 보니 너 **여기**서 하지 않았어? 밸런타인데이 때? 지금 **생각해도** 오글거리는 **고백** 말이야. 그때 완전 학교에 난리였는데." 경미는 곧 무너질 것 같이 생긴 **낡은 점포**를 가리키며 말했다.

"응. **생각해** 보니 그렇네. **세월** 참 빠르다더니 그렇게 **귀고** 어렸던 내가 벌써 나이 30 을 **바라보는** 게 신기해. **여기** 있는 **점포**도 내가 경우한테 **고백할** 당시에는 새 건물이었는데 어느새 이렇게 낡았을까." 성아는 **낡아버린 점포**를 보며 잠시 깊은 **생각**에 빠졌다.

"그러게. 이제 우리도 많이 **늙었네**. 너나 나나 정말 어리고 여렸는데.." 경미도 눈 깜짝할 사이에 지나간 **세월**이 야속한 듯 힘없이 말했다.

"경우는 잘 지내나? 한 번 보고 싶네. 내가 어릴 때는 참 철이 없었나 봐. 경우가 좋아하는 **로봇** 자동차 사주겠다고 동전을 몇 개월이나 모으고 모아서 돼지 저금통에 한가득 가지고 온 것도 지금 **생각하면** 정말 **귀다**. 그치?"

"**로봇**? 아아 **기억난다**. 너 정말 대단해. **천** 마리 종이학을 접는 게 더 쉽겠다. 너 그때 얼마 모았는지 **기억나**? 동전으로 2 만 원 모았었잖아. 2 만 원. 무슨 초등**학생**이 자기보다 무거운 동전 저금통을 들고서 **로봇**을 사주면서 **고백**해 이 가시나야. 지금 **생각해** 보면 무모해. 무모."

"뭐 어때. 정말 사랑했었나 보지." 성아는 경우를 **생각하면서** 진심을 담아 말했다.

"**초등학교** 때 무슨 진정한 사랑이라고.. 어휴." 경미는 그런 성아를 한심하게 **바라봤다**.

"근데 그때 돈 안 냈어. 저기 **점포** 사장님이 돈 모아서 선물 사주는 내가 대견하다고 그냥 주셨어. 동전 200 개 받기도 뭐 하다고 해서.. 그래서 오늘 돌려주려고 잠깐 들렀어. 오늘 서울로 올라가."

"너는 무슨 20 년 묵은 은혜를 갚으러 **여기**까지 와. 내가 말했지 넌 정말 대단한 아이야." 경미가 한편으로는 존경을 담아서, 다른 한편으로는 비판적인 목소리로 말했다.

"그게 도리지. 근데 오늘 안 계시나 봐. 주변에 물어보니깐 아직 **점포** 사장님이 똑같은 분이신 것 같은데. 그래서 이거 돈 봉투랑 편지만 넣고 이제 갈려고. 기차 **시간** 때문에."

"**그래**. **만나서** 정말 **반가웠어**. 너 전화번호 있지? 지금 알려주면 카톡에 추가할게."

"응. 여기. 다음에도 다시 만나자." 성아는 마음속으로 **행복한 기억을 되새기며** 말했다.

기차에서 돌아가면서 성아는 **생각했다**. 참 **행복한 시절**이었다고. 지금이야 나이다 먹어서 볼품없는 사람 같지만, 자신도 한때는 누구보다 더 순수했고 아름다웠고 **행복했**었다고.

자신에게 **행복**을 준 **점포** 사장님을 **생각하며**, 경미를 생각하며, 경우를 **생각하며** 앞으로도 계속 **행복**하겠다고 다짐했다.

요약 Summary

성아는 자신이 어릴 때 즐겨 찾았던 오래된 **점포**를 방문한다. 거기서 우연히 **초등학교** 동창이었던 경미를 **만나고** 같이 어릴 적 **기억을 회상한다**. 경미는 성아에게 성아가 한동안 **좋아했던** 경우가 **기억나**느냐고 물어보고 둘은 잠시 **낡은** 상점과 얽힌 성아의 **고백** 스토리를 되돌아본다. 성아는 그 당시 자신을 도와줬던 **점포** 사장님이 고마워 답례를 하려고 하지만 사장님은 그 자리에 없었고 부득이하게 돈이 든 봉투만 놔두고 서울로 올라가게 된다.

Sung-ah visits an old store that she enjoyed visiting when she was young. She meets Kyung-mi, an elementary school classmate, and they reminisce about their childhood memories together. Kyung-mi remembers that Sung-ah liked Kyung-woo for a while and asks Sung-ah if she remembers him. The two briefly look back on the story of Sung-ah's confession to Kyung-woo. Sung-ah tries to thank the store owner who helped her at that time, but he is not there, so she leaves an envelope filled with money.

사용된 단어들Vocabulary List

- **오랜만이다**: long time no see
- **누구세요**: who are you?
- **가다**: go
- **집**: home
- **가시나**: girl
- **생각하다**: to think
- **기억하다**: to remember
- **회상하다**: to reminisce
- **초등학교**: elementary school
- **연락**: contact
- **당신**: you (formal)
- **뭐해**: what are you doing?
- **바라보다**: to look at
- **좋다**: good
- **고백**: confession
- **행복한**: happy
- **시절**: period
- **되새기다**: to remember

- **세월**: lifetime
- **귀다**: to be cute
- **천**: thousand
- **늙다**: to get older
- **여기**: here
- **시간**: time
- **반갑다**: nice to see you
- **당연히**: of course, obviously
- **판타지**: fantasy
- **로봇**: robot
- **학생**: student
- **점포**: store
- **다음에도**: next time
- **다시**: again
- **만나자**: let's meet
- **그래**: yes
- **응**: yes
- **낡은**: old

25

문제Questions

1. 성아가 간 곳은 어디일까요?

    . 공원.

    . 집.

    C. 초등학교.

    . 낡은 상점/점포.

2. 성아한테 낡은 점포는 왜 소중합니까?

    . 경미를 만나서.

    . 성아가 경우에게 고백한 장소여서.

    C. 점포가 낡아서.

    . 소중한 이유가 없다

3. 성아는 얼마 만에 점포를 방문했나요?

    . 20년.

    . 10년.

    C. 1년.

    . 5년.

4. 성아는 왜 점포 사장님에게 감사한가요?

    A. 간식을 공짜로 줬다.

    B. 로봇을 공짜로 줬다.

C. 노트를 공짜로 줬다.

D. 음료수를 공짜로 줬다.

5. 성아는 왜 사장님에게 직접 인사를 전하지 못했나요?

E. 내일 드리면 돼서.

F. 경미가 대신 전달해 줄 것이어서.

G. 귀찮아서.

. 서울로 올라가야 해서.

정답 Answers

1. D – An old store.
2. B – It is the place Sung-ah confessed to Kyung-woo.
3. A – Twenty years.
4. B – Gave a robot toy for free.
5. D – She had to go to Seoul.

CHAPTER 3
오비 / **OBI**

아주 **추운** 겨울, 서울 광화문 경복궁 앞에 한 아이가 있었다. 그녀의 이름은 오비이다. **갈색**의 머리와 눈을 가진 아이였다. **얼**보면 그냥 평범한 아이처럼 보일 수 있지만, 그녀는 사실 **고아**였다. 그녀는 5 살부터 현재 9 살까지 **고아원**에서 지내야만 했다. 아빠가 누구인지도 모른 채 엄마에게 버림을 받았던 것이다. 하지만 엄마의 얼굴**만큼**은 **필사적**으로 기억하고 있던 그녀였다. 맨날 **고아원** 급우들에게 "난 19 살이 되면 엄마를 꼭 찾아 같이 살거야!"라며 말하곤 했다.

그렇지만 아무도 그녀를 믿지 않았다. **심지어** 그런 바보 같은 생각을 접으라며 그녀의 희망을 **무너뜨리곤** 했다.

"너네 엄마가 널 **고아원**에 두고 갔잖아... 너네 엄마가 널 또 키우고 싶겠냐? **개소리** 집어치우고 **정신** 차려!" 이런 식으로 **보육교사**들이 오비에게 말하곤 했다.

고아원에서의 삶은 오비에게 좋은 삶이 아니었다. **보육교사**들은 **고아**들을 **학대**하는 **경우**가 많았다. 아이들이 하루에 여러 가지 잡일을 **마치지** 않으면 밥을 **기거나 심지어** 발로 **차고** 때리기도 했다. 그래서 모든 아이들이 **보육교사**를 무서워하고 매우 싫어했다.

학대에 지친 오비는 결국 **고아원**을 **탈출했다**. 하지만 그녀는 **탈출** 후의 **계**이 없었다. 돈도 없고 **대중교통카드**도 없었다. 엄마가 강원도에 있는 건 알았지만, 광화문에서 강원도까지는 너무 멀었고 **교통수단** 없이 갈 방법이 없었다. **고아원**으로 돌아가고 싶지 않은 오비는 경복궁 문 앞에서 지나가는 사람들에게 **구걸**하기 시작했다. 아무리 **구걸**해도 사람들은 그녀에게 시선조차 주지 않았다. 그냥 지나치기만 할 뿐이었다.

한참을 **간청**한 후 오비는 **포기할** 수밖에 없었다. 공원 앞에 **주저**앉아 상상하기 시작했다. 해는 점차 지기 시작했다. **추운** 하루가 더 **추운** 밤이 됐다. 오비의 손가락은 **서서히** 얼어붙고 있었다. 단 한 사람이라도 오비를 도와주면 얼마나 좋을까 하고 상상했다. 착한 아가씨나 마음씨 좋은 아저씨, 아무나 오비를 데려가 준다면 그녀는 따뜻한 집에서 따뜻한 마음으로 밥상 위에 준비한 맛있는 음식을 먹을 수 있지 않을까 하고 상상하며 **군침**을 흘리고 있었다.

집에 사람들과 보드게임도 할 수 있지 않을까 라며 오비는 상상했다. 이 **추운** 날씨에 **아한 난로** 앞에 앉아 따뜻한 차를 마시며 이야기도 나누고...

결국 오비의 엄마가 오비를 원하지 않는다면 다른 가족이라도 함께 하고 싶었다. 오비에겐 사랑과 **관심**이 필요했다.

슬슬 그녀는 잠에 들기 시작했다...

차차 천천히 잠에 들었다...

어느 한 **부부**가 오비에게로 걸어갔다. 그녀는 극심한 추위에 시달려선지 혹은 엄청난 피로가 누적되선지 그 **부부**가 한복을 입고 있었던 것에 대해 전혀 이상하단 생각조차 못하고 있었다.

"워매! 이것 좀 보시오. **서방. 불쌍한** 아이가 누워있어요... 우리가 당장 데리고 가야 해요."

"**처**, 우리가 **감히** 막 데려가도 된다고 생각하시오?" 남자가 말했다.

"음, 먼저 물어보고 데려갑시다. 아이야 우리랑 같이 갈래?" 여자가 오비에게 물었다.

오비는 너무 기뻐서 믿을 수 없었고 바로 고개를 끄덕였다.

"자, **이리 온**." 여자가 오비에게 손을 건넸다.

이렇게 셋이서 함께 따뜻한 한집에 **기중기 모였다**.

다음날 해가 떴고 사람들은 경복궁 앞에 얼어 죽은 한 소녀를 보게 되었다. 하지만, 사람들은 **의아해했다**. 왜냐하면, 그녀는 아직도 **미소**를 머금은 채 쓰러져 있기 때문이다. 마치, 아름다운 꿈이라도 꾸다가 간 것처럼...

31

요약Summary

추운 겨울, 오비라는 한 **고아**가 **고아원**을 나와 광화문의 경복궁 앞에 있었다. **고아원**의 **보육교사**들이 아이들을 **학대**하고 있었기 때문이다. 처음에 그녀는 지나가는 사람들에게 **구걸**하기 시작했지만 아무도 도와주지 않았다. 그녀는 행복한 세상을 상상하기 시작했다. 친엄마가 그녀를 원하지 않는 것을 알기에 친엄마 대신 다른 착한 **부부**를 만나 같이 사는 상상을 했다. 그녀의 꿈에선 조선 시대 복장을 한 **부부**가 와서 그녀를 따뜻하고 편안한 집으로 데리고 갔다. 다음 날, 사람들은 경복궁 앞에서 한 아이를 찾았다. 그녀는 얼어 죽었던 것이다. 하지만 제일 이상했던 것은 그녀는 아직도 **미소**를 머금은 채로 있었던 것이다. 마치 아름다운 꿈이라도 꾸다가 간 것처럼 보였다.

During a very cold winter, there was a young orphan girl in front of Gyeongbokgung Palace. She had run away from the orphanage because the orphanage workers mistreated her. Sitting in front of the palace, she begged and begged but no one stopped for her. No one cared. So instead, she started to imagine a happier life, where she had loving caretakers. Knowing that her birth mother didn't want her, she imagined meeting another nice couple instead of living with her mother. Finally, a couple in Joseon Dynasty era clothes walked up to her and brought her to a cozy house. When the sun came up the next day, people found the young girl, frozen to death. She had a smile on her face as if she was dreaming about something beautiful.

사용된 단어들Vocabulary List

- **춥다**: to be cold
- **갈색**: brown
- **얼**: at first glance,
- **고아**: orphan
- **고아원**: orphanage
- **만큼**: as much as
- **필사적**: desperate, frantic
- **급우**: friend
- **심지어**: even as far as...
- **무너지다**: to collapse, to give away, to shatter
- **개소리**: nonsense
- **정신**: mind, consciousness, spirit
- **보육교사**: caretaker
- **보육**: childrearing, nurture
- **학대하다**: to mistreat
- **경우**: instance, case, example
- **마치다**: to complete, to finish

- **다**: to starve
- **차다**: to kick
- **탈출하다**: to escape
- **계**: plan, opportunity
- **대중교통**: public transportation
- **교통수단**: means of travel
- **구걸하다**: to beg, to plead
- **간청하다**: to beg, to plead
- **포기하다**: to give up
- **주저**: hesitation
- **서서히**: slowly
- **군침**: drool
- **벽난로**: brick fireplace
- **아하다**: to be homey, to be cozy
- **관심**: care, attention
- **차차**: little by little
- **부부**: a married couple
- **서방**: an old-fashioned way to refer to your husband

- **불쌍한**: to be pitiful, to be sad
- **처**: an old-fashioned way to refer to your wife
- **감히...하다**: do you dare to...?
- **이리 온**: an old-fashioned way to say 'come here'
- **기종기 모이다**: to huddle together
- **의아하다**: to be puzzling, to be suspicious, to be dubious
- **미소**: smile

문제 / Questions

1. 아이의 이름이 무엇입니까?

    . 아이의 이름은 수진입니다.

    . 아이의 이름은 새라입니다.

    C. 아이의 이름은 오비입니다.

    . 아이의 이름은 진아입니다.

2. 오비는 어떻게 고아가 되었습니까?

    A. 오비의 부모님이 차사고로 돌아가셨습니다.

    B. 살인자가 오비의 부모님을 죽였습니다.

    C. 이유는 모릅니다.

    . 오비를 엄마가 고아원에 맡겼습니다.

3. 오비는 고아원에서 왜 탈출했을까요?

    A. 보육교사들이 학대를 했기 때문입니다.

    B. 친엄마를 찾으려고 고아원에서 탈출했습니다.

    C. 일본에 가고 싶어 고아원에서 탈출했습니다.

    . 부산에 가고 싶어 고아원에서 탈출했습니다.

4. 오비는 경복궁의 문 앞에서 앉아 무슨 꿈을 꾸었습니까?

    A. 더 행복한 삶에 대해 꿈을 꾸었습니다.

    B. 엄마와 같이 해외여행에 간 꿈을 꾸었습니다.

C. 경복궁에 가는 꿈을 꾸었습니다.

.   예전에 봤던 영화에 대해 꿈을 꾸었습니다.

5. 오비는 결국 어떻게 되었습니까?

A. 오비는 엄마를 만나 같이 살 게 되었습니다.

B. 오비는 결국 얼어 죽었습니다.

C. 한 부부가 오비를 데려갔습니다.

D. 고아원의 보육교사들이 오비를 찾았습니다.

정답 / **Answers**

1. C - The orphan's name is Obi.
2. D - Obi's mother left her at the orphanage.
3. A - The orphanage workers were mistreating her.
4. A - She dreamed of a happier life.
5. B - Obi froze to death.

CHAPTER 4
수업시간 / **LESSON TIME**

태희는 어제 **저녁** 거의 잠을 **자지** 못했다. **물리** 시험, **수학** 시험, **영어 과제**, **대회 준비** 등으로 태희는 한순간도 쉴 틈이 없었다. 그래서 태희가 유일하게 쉴 수 있는 시간은 **수업** 시간이었다. 누구든지 졸리면 **자도** 되는 시간. 적어도 **도덕** 시간은 그랬다. 여느 때처럼 태희는 책상에 폭신폭신한 베개 하나를 놓고 후드티를 입은 채 잠이 들었었다. 오늘은 **도덕 선생님**이 결근이라 **영어 선생님**이 온다는 것을 까먹고 태희는 행복한 **꿈**을 꾸고 있었다. 자신에게 일어날 일은 모른 체.

저벅. 저벅. 저벅. **영어 선생님**의 특유의 **구두 발자국** 소리가 복도에 울려 퍼졌다.

태희의 친구들은 태희를 **깨우려고** 태희의 몸을 흔들었다.

"김태희 **일어나**. 오늘 **도덕 선생님**이 아니라 **영어 선생님**이 오시는 날이야."

"으음... 좀 더 잘래. 나중에 깨워 나중에." 태희는 얼버무리며 말했다.

살인적인 스케줄 때문에 지친 **탓**일까 태희는 친구의 상냥한 목소리에 담긴 날카로운 의미를 이해하지 못했다.

태희는 계속 **꿈**속에서 허우적거릴 뿐이었다.

그러자 태희의 친구는 자신의 입을 태희의 **귀**에 **최대한 가까이** 대고 말했다.

"김태희 **일어나**라고. 오늘 **도덕 선생님**이 아니라 **영어 선생님**이야 **영어 선생님**. 그 **무서운 영어 선생님**이라고."

태희는 아무 반응도 하지 않았다.

태희의 친구는 **귀**에 **가까이** 대고 말하면 잘 들려 **일어날** 줄 알았지만, 태희가 **일어나지** 않자 태희를 **깨우는 것**을 거의 포기했다.

마지막으로 태희의 친구는 태희의 볼을 꼬집어보려고 **자리**에서 **일어났다.**

태희의 친구는 **자리**에서 **일어나서** 오른쪽으로 돌아서 태희의 볼을 잡았다. 아니 그러려고 했다.

하지만 태희의 친구는 그러지 못했다. **창문** 쪽에서 **영어 선생님**이 항상 누군가 떠들고 있으면 문 쪽을 나무 막대기로 치는 소리가 들린 것이다.

"이신애. 거기 **일어서서** 뭐 해? 얼른 **자리**에 앉아. **수업** 시작하니깐 **모두** 책 42 쪽 펴고 정숙해." **영어 선생님**은 권위적으로 말했다.

"네. **선생님**." 신애는 힘없이 말하고는 **곧바로 자리**에 앉았다.

"자 **반장 일어나서** 인사하자."

"네." **반장**이 **자리**에서 **일어났다**.

"**모두들 선생님**께 인사."

학생들은 **반장**의 **인사말**에 따라서 **선생님**께 정중하게 인사했다. 태희만 빼고.

영어 선생님은 태희가 **일어나지** 않은 것을 모른 채 **수업**을 **진행했다**. 그도 그럴 것이 태희 앞에만 3 명의 학생이 있었으니 **선생님** 입장에서는 태희가 **자는지** 안 **자는지** 보기 힘들었을 것이다.

그렇게 한참 동안 태희가 **일어나지** 않은 채 **수업**이 **진행됐고** 학생들이 제일 싫어하는 **영어 과제** 발표 시간이 돌아왔다.

학생들은 **모두** 자기가 먼저 발표하기 싫거나, 혹은 **수업** 시간이 다 돼서 발표하지 않아도 될까 하는 기대감으로 **선생님** 눈치를 봤다.

"자 오늘은 2 월 5 일이니깐 2 번 먼저 발표하자."

"네.." 호명된 학생의 입에서 깊은 한숨이 나왔다.

그렇게 2번 학생의 발표가 끝나고 **영어 선생님**은 2번 학생의 **과제**가 불만족스럽다는 듯이 말했다.

"학생. 그게 다인가? 내가 분명히 제대로 하라고 했는데 겨우 그게 학생의 최선인가? 조금 있다가 교무실로 와."

"네.." 학생은 힘없게 말했다.

"자. 2월 5일이고 2번은 했으니깐 25번 발표하자. 25번 **자리**로 나와서 발표해."

선생님의 호명이 있고 나서 반에서는 정적이 흘렀다. 25번은 태희의 번호였기 때문에 **선생님**은 아무 소리도 들을 수 없었다. 아직까지 태희는 **꿈**나라에서 쉬고 있었다.

"25번 누구야? **과제** 안 해서 숨는 거면 지금 당장 말해. 아니면 빨리 나와서 발표해. 수줍어하지 말고." **영어 선생님**은 호명된 학생이 혹여 무섭거나 부끄러워서 대답을 안 하는 것이라고 생각하고는 부드럽게 말했다.

역시 이번에도 아무런 반응이 없었다.

"25번 나와! 25번 누구야! **선생님**이 부르는데 어디서 대답도 안 해? 25번 ... 김태희 학생이네. 김태희 학생 어디 있어?" **선생님**은 마침내 제 성에 이기지 못하고 불같이 화를 냈다.

이후 태희는 **선생님**에게 책으로 머리를 맞고 교무실로 따라오라는 소리를 들었다. 학교생활을 열심히 한 태희로서는 교무실로 한 번도 불려가 본 적이 없었다. 태희는 교무실로 불려가면서 많은 걱정을 했지만, **선생님**께 솔직하게 말하기로 했다.

"그래 태희야. 도대체 무슨 생각으로 **수업** 시간에 잔 거니?" **선생님**은 의자에 앉으면서 말했다.

태희는 솔직하게 자신이 얼마나 학교생활을 열심히 하고 **과제** 때문에 피곤한지 설명했다.

태희는 **선생님**이 화를 내실 줄 알았지만, **선생님**은 태희의 상황을 이해해 주고 **과제**도 줄여주겠다고 말씀하셨다.

태희는 **선생님**의 인자함에 놀라고 **선생님**에게 감사함을 느꼈다,

<u>요약</u>**Summary**

태희는 어제**저녁** 거의 잠을 **자지** 못했다. **물리** 시험, **수학** 시험, **영어 과제, 대회 준비** 등으로 태희는 한순간도 쉴 틈이 없었다. 그래서 태희가 유일하게 쉴 수 있는 시간은 **수업** 시간이었다. 누구든지 졸리면 **자도** 되는 시간. 적어도 **도덕** 시간은 그랬다. 여느 때처럼 태희는 책상에 폭신폭신한 베개 하나를 놓고 후드티를 입고 잠이 들었었다. 오늘은 **도덕** 선생님이 결근이라 **영어** 선생님이 온다는 것을 까먹고 태희는 **꿈**나라에서 행복한 **꿈**을 꾸고 있었다. 자신에게 일어날 일은 모른 채.

Tae-hee didn't get enough sleep last night. Tae-hee had no time to rest for a moment due to physics tests, math tests, English assignments, and debate competition preparations. So the only time Tae-hee could rest was during class. Usually, students sleep during the course, especially if it is an ethics lesson. As usual, Tae-hee fell asleep with a fluffy pillow on her desk. Tae-hee forgot that her English teacher was coming because the ethics teacher was absent, and Tae-hee was dreaming a happy dream in her dreamland, not knowing what's going to happen to her.

사용된 단어들 / **Vocabulary List**

- **저녁**: night
- **자다**: to sleep
- **발자국**: footstep
- **꿈**: dream
- **깨우다**: to wake up
- **영어**: English
- **물리**: physics
- **수학**: math
- **과제**: assignment
- **준비**: prepare
- **대회**: competition
- **구두**: leather shoes
- **귀**: ear
- **가까이**: close to
- **도덕**: ethics
- **탓**: because of
- **자리**: seat
- **갑자기**: suddenly
- **수업**: lesson
- **곧바로**: immediately
- **반장**: prefect, class president
- **일어나다**: to get up
- **창문**: windows
- **최대한**: as much as possible
- **선생님**: teacher
- **무서운**: scary
- **모두**: everyone
- **인사말**: greeting
- **진행하다**: to continue

문제 / Questions

1. 태희는 왜 피곤했나요?

   A. 노래를 들었다.

   B. 드라마를 봤다.

   C. 과제가 많았다.

   D. 책을 읽었다.

2. 태희는 왜 일어나지 못했나요?

   A. 수업을 듣기 싫었다.

   B. 일어나 있었다.

   C. 너무 깊게 잠들었다.

   . 귀찮아서 친구의 말을 안 들었다.

3. 선생님은 왜 화가 났나요?

   A. 힘들어서.

   B. 아무도 과제를 하지 않아서.

   C. 과제가 형편없어서.

   D. 대답이 없어서.

4. 태희는 교무실로 가면서 왜 걱정했나요?

   A. 성적이 낮아질까봐.

   B. 교무실로 불려가 본 적이 없어서.

C. 선생님이 무서워서.

D. 자신이 잘못한 것을 알아서.

5. 선생님은 왜 태희를 용서해줬나요?

A. 귀찮아서.

B. 기분이 좋아서.

C. 태희가 예뻐서.

D. 태희가 솔직하게 말해서.

정답 / **Answers**

1. C – She had a lot of assignments.
2. C – She had fallen asleep too deeply.
3. D – Because there was no reply from the students.
4. B – She had never been called to the principal's office.
5. D – Tae-hee said the reason honestly.

CHAPTER 5

부산에서의 추석 / **CHUSEOK IN BUSAN**

지난 2016 년 **추석**에 저는 제 **여동생** 2 **명**과 같이 부산으로 갔었어요. 저희 엄마가 2 달 전에 **하늘나라로 떠났거든요**. 우리는 부산 해운대 앞바다가 보이는 **우아하고 세련된** 한 호텔에 **머물렀어요**. 호텔 바로 앞에 해운대가 정말 잘 보였어요. 그래서 우리는 낮이건 밤이건 **바닷가**에서 즐거운 시간을 보낼 수 있었어요.

어느 날 밤, 저는 혼자 **해안가**를 따라 **걷고** 있었죠. 한 10 시쯤이었어요. 정말 아무도 없더라구요. **파도**는 **잔잔했고** 바다는 **조용히 반**에 **철**거릴 뿐이었죠.

그러던 와중 갑자기 제 앞에 **유령**이 보이기 시작했어요. 하지만 이상하게도 저희 엄마와 **비한** 모습이었죠. 저는 정말 무서웠고 **등**을 돌리려 했어요. 하지만, 그 전에 **유령**이 먼저 **다가왔죠**. 저는 **멈출** 수밖에 없었어요.

유령이 **다가오기를 멈출** 때쯤 저는 그 **방향**을 **향해** 돌아봤죠. 그러자 갑자기 싹 **사라져버렸어요**. 저는 **애통**함과 사랑 그 모든 **복합적인** 감정에 **싸였죠**. 그 **유령**은 마치 저에게 뭔가를 말하려는 듯했어요. 무서워서 호텔로 **도망치려던** 그 **순간** 저는 느꼈어요. 그 **유령**이 저희 엄마였다는 걸 말이죠. 그저 저희 어머니가 좋은 곳으로 가셨길 **간절히** 바랄 뿐이었어요. 호텔로 돌아온 저는 제 동생들에게 이 사실을 알렸죠. 엄마가 우리에게 **추석**날 인사하러 나타났다고 말이죠.

요약Summary

글쓴이의 엄마는 갑작스레 **하늘나라로 떠났다**. 그로부터 2 개월 후 글쓴이는 그의 **여동생 2 명**과 함께 부산에 놀러 갔다. 그들은 부산 앞바다가 훤히 보이는 한 호텔에 **머물렀고**, 그 덕분에 그들은 하루 종일 밤이나 낮이나 **바닷가를** 즐길 수 있었다. **어느 날 밤** 글쓴이가 바다를 따라 **걷던** 중 그의 엄마의 모습을 하고 있는 **유령을** 보았다. 유령과 글쓴이는 처음엔 가만히 굳은 채로 가만히 있었다. 글쓴이는 그 상황이 너무 무서웠다고 회상한다. 그 후 **유령**은 그에게 **다가갔고** 그는 호텔로 **도망을 쳤다**. 하지만 **순간** 그는 알아차렸다. 그것이 그의 엄마였다는 것을... 작가는 비통함과 사랑의 **복합적인 감정**에 **싸였지만**, 그저 그의 엄마가 좋은 곳으로 가셨길 바랬다. 호텔로 돌아온 그는 그의 동생들에게 이 사실을 알렸다. 엄마가 우리에게 **추석날** 인사하러 나타났다고 말이다.

Two months after the author's mother died, his younger sisters and he went down to Busan to spend a week there. He stayed at the hotel closest to Haeundae Beach, so during both the day and night, he could walk to and from the beach. One night, he went walking along the path by the beach, and in front of him, he saw a ghostly figure appear that looked like his mother. At first, he was too stunned and frightened to move, but when the ghost moved toward him, that's when he ran. But in that moment, he felt overpowered by a feeling of grief and love. His only wish was that his mother go to heaven. When he reached his hotel room, he told his family about what had happened. He told them that Mom's ghost was wishing us Happy Chuseok.

사용된 단어들 / **Vocabulary List**

- **추석**: Chuseok; Korean fall harvest festival
- **여동생**: (female) younger sibling
- **명**: counting word for people
- **하늘나라**: Heaven (lit. sky country)
- **떠나다**: to leave
- **바닷가**: beach
- **우아하다**: to be elegant
- **세련된**: luxurious
- **머물리다**: to stay
- **어느날 밤**: one night
- **해안가**: beach coast, where sand meets water
- **걷다**: to walk
- **파도**: wave
- **잔잔한**: quiet, calm
- **조용하다**: to be quiet
- **반**: rock, rock bed
- **철**: to splash
- **유령**: spirit, ghost
- **비하다**: to be similar
- **등**: back
- **다가오다**: to draw near, to come closer
- **멈추다**: to halt, to stop
- **방향**: direction
- **향해하다**: to face something, to turn to
- **사라지다**: to disappear
- **애통**: lamentation, grief, sorrow
- **복합적**: complex, complicated
- **감정**: emotion
- **싸다**: to overwhelm, to overpower
- **도망치다**: to run away
- **순간**: moment
- **간절히**: sincerely

문제 / **Questions**

1. 2 명의 여동생과 저는 왜 부산에 갔습니까?

   A. 저의 생일이라서 부산에 갔습니다.

   B. 동생의 생일이라서 부산에 갔습니다.

   C. 추석이라서 부산에 갔습니다.

   D. 우리 가족을 방문하러 부산에 갔습니다.

2. 제가 머물렀던 호텔은 어디에 있었습니까?

   A. 해운대 도시 한 가운데 있었습니다.

   B. 바닷가 앞에 있었습니다.

   C. 해물시장 옆에 있었습니다.

   D. 부산역 앞에 있었습니다.

3. 몇시에 바닷가를 따라 걸으러 나갔습니까?

   A. 5시

   B. 6시

   C. 10시

   D. 몇 시인지 밝히지 않았다.

4. 유령은 누구의 모습을 하고 있었습니까?

   A. 제 여동생의 모습을 하고 있었습니다.

   B. 제 아버지의 모습을 하고 있었습니다.

C. 제 어머니의 모습을 하고 있었습니다.

D. 저의 모습을 하고 있었습니다.

5. 유령이 나타난 이유는 무엇입니까?

A. 저에게 무언가 경고를 하러 나타났습니다.

B. 저의 결혼을 축하하려 나타났습니다.

C. 저와 저의 여동생들에게 추석 인사차 나타났습니다.

D. 엄마가 저희를 너무 그리워했기 때문에 나타났습니다.

정답 / **Answers**

1. C - Because it was Chuseok.
2. B - Next to the beach.
3. C - Around 10 o'clock
4. C - My mom's appearance.
5. C - To wish me and my sisters Happy Chuseok.

CHAPTER 6

50 원의 행복 / **HAPPINESS OF 50 KOREAN WON**

"이도야! 빨리 와 보거라. 여기 50 원이 떨어져 있는데, 혹시 나 대신 주워 줄 수 있겠니?" 얼굴에 주름 가득한 **할머니**가 말했다.

"**할머니** 겨우 50 원짜린데.. 굳이 주워서 뭐 하시려고요? 바닥에 떨어져 있던 거라 더럽고 이 돈으로 딱히 할 수 있는 것도 없는데 괜히 힘 빼지 말고 얼른 맛있는 점심이나 **먹으러** 가요."

할머니는 50 원도 **아끼지** 않는 이도의 모습을 보고 한숨을 폭 내쉬며 말했다.

"이놈아 **티 모아 태산**을 이룬다고 했다. 어디 땅을 파면 돈이 나오느냐? 50 원이라도 돈 아까운 줄 알고 **아끼며** 성실히 모아 살아야지."

이도는 겨우 50 원에 이렇게 집착하는 **할머니**를 이해하지 못했다. 50 원을 10 개를 모으면 500 원이고 100 개나 모아도 겨우 5000 원밖에 되지 않는데 50 원을 주우려고 **귀찮음**을 무릅쓰고 손을 더럽혀야 할 이유를 찾지 못했다.

"**할머니** 50 원을 100 개 모아도 밥 하나 못 **사먹는데** 그거 주워서 뭐 하려고요. 그냥 빨리 밥이나 **먹으러** 가요."

"얘야 **지금**은 물가가 올라서 그렇지만 **예전**에는 50 원만 있으면 짜장면 3 개나 **사 먹었단다**. 요즘이야 다들 배터지게 먹고 돈 아까운 줄 모르고 살지만 내가 어릴 때만 해도 부모님이 50 원을 주면 얼마나 **행복**했는데.."

"정말요 **할머니**? 어떻게 50 원으로 짜장면을 **사 먹을** 수가 있어요. **지금** 50 원 들고 옛날도 돌아가면 대박이겠다."

"그럼 당연하지. 우리 집이 **가난해서** 내 친구들이 짜장면 **사 먹으러** 갈 때 이 할미는 운동장에 있는 물로 배를 채웠던 기억이 나는구나. 우리 반 담임 선생님이 그 모습을 보고는 **주머니를** 뒤적이시다가 50 원을 꺼내주셨어. **햇빛**에 반사되어 비치는 50 원짜리 **동전**의 모습이 얼마나 **중히** 보이던지 그날 선생님과 짜장면, 탕수육까지 실컷 **먹은** 것만큼 **행복**했던 적이 없구나. 비록 **지금**은 이 돈의 **가치**가 작을지라도 이 할미에게는 어릴 때 갖지 못했던 50 원을 많이 가지고 있으면 **행복**한 느낌이 들기도 한단다. 할미가 1970 년도부터 **꾸준히** 50 원을 모았으니 아마 짜장면 수십 개는 살 수 있을 거다. **예전**에 할미 집에 왔을 때 수북이 쌓인 **동전** 자루 본 적 없니? 우리 이도가 어릴 때 할미에게 **노랑색**처럼 생긴 게 마치 산처럼 쌓여 있다고 뭐에 **쓰는 물건인지 물어본** 것 같은데 말이지.."

"네. **할머니** 본 적 있는 것 같아요. 근데 그게 전부 다 50 원짜리일줄은 **상상도 못 했어요.** 엄청 많던데 어떻게 하시려고요?"

"어떻게 하기는 **은행**에 들고 가서 바꿔야지. 그래 오늘은 이 할미랑 짜장면을 **먹으러** 가볼까? 어떠냐 이도야. 일단 **할아버지**한테 전화해서 오늘 50 원이 든 쌀 **포대** 3 개를 **은행**에 가져다주고 **현금**으로 바꾼 돈으로 짜장면이랑 탕수육도 **먹으면** 좋을 것 같구나."

"좋아요."

할머니랑 이도는 서둘러 집으로 **향했다.** 집에서 **동전**이 가득 들어 있는 쌀 **포대** 3 개를 힘겹게 들고서 **할아버지** 차로 실어 **은행**에 가져다주었다. 워낙 양이 많아서 **은행** 직원이 한 두시간 후에 돈을 찾으러 오라고 말했다. 이도는 낮잠을 잔 후에 **할머니**랑 같이 돈을 찾으러 갔는데 그 금액에 **놀라지** 않을 수 없었다. **은행** 직원에 손에는 5 만 원짜리 돈다발이 가득 들어 있었다.

"총 200 만 4 천 5 백 50 원입니다." **은행** 직원이 **명쾌하게** 말했다.

"아이고 이 많은 **동전** 세느라 수고가 많았습니다. 큰 건 아니지만 여기 야쿠르트 하나라도 드릴 테니 **쉬엄쉬엄** 하세요."

할머니가 **주머니**에서 주섬주섬 야쿠르트를 꺼내어 **은행** 직원에게 **건네주며** 말했다.

"자, 이제 맛있는 짜장면을 **먹으러** 갑시다. 오랫동안 모은 돈을 **바꾸니** 기분이 참 **새구나**.. 언제 이렇게 나이를 **먹었는지**."

"**할머니** 아직 **으세요!**" 이도가 **할머니**의 표정에 나른거리는 **술**을 보며 힘차게 말했다.

"고맙구나. 자자 얼른 **먹으러** 가자."

짜장면집에 **도착한** 이도와 **할머니**는 탕수육 한 개와 짜장면 두 그릇, 그리고 맛난 음료수와 아이스크림 **후식**까지 **먹은** 후 집에 **도착했다**.

"**할머니** 정말 감사합니다. 오늘 짜장면은 진짜 맛있었어요!" 이도가 웃으며 말했다.

"오냐. 항상 고생하고 **먹는** 밥이 맛있는 법이지. 아참. 이도야 이거 받거라." **할머니**는 두꺼운 하얀색 **봉투**를 이도에게 건넸다.

"**할머니** 이게 **뭐예요?**" 이도가 할머니에게 **물었다**.

"뭐긴 뭐야 **돈**이 든 **봉투**지. 할미는 이미 늙어서 이 돈 쓸 때가 없으니 너 **여행** 가고 싶거나 **사고** 싶은 거 있거든 그걸로 **쓰거라**."

"아.. 안 주셔도 되는데 감사합니다, **할머니**."

"그래. 항상 돈 아낄 줄 알아야 한다."

"네. **할머니** 감사합니다."

이도는 오늘 항상 적은 돈이라고 **무시했던** 50 원의 **가치를** 재발견했다. 겨우 50 원이라고 **무시하였었는데** 적은 돈이 모이고 모여 200 만 원이란 **거금으로** 돌아올 줄은 **상상도 못 했던** 것이다. 이도는 앞으로 적은 돈이라도 **무시하지** 말고 모아야겠다고 굳게 다짐했다.

요약Summary

이도는 **할머니**에게 급히 **부름**을 받고 달려간 자리에서 50 원을 발견한다. 그는 **할머니**에게 굳이 적은 돈을 주어야 하냐고 반문하고 **할머니**는 적은 돈이라도 **소중히** 여길 줄 모르는 이도를 꾸짖는다. **할머니**는 자신이 어릴 때와 돈에 얽힌 이야기도 들려준다. 그 이후 이도와 **할머니**는 **할머니**가 어릴 적부터 모았던 쌀 **포대**에 가득 든 50 원짜리를 **은행**에 가서 **바꾸고** 200 만 원이라는 **거금**을 돌려받는다. **할머니**와 이도는 짜장면집에서 탕수육과 짜장면을 실컷 **먹고 할머니**는 남은 돈을 이도에게 준다. 이도는 50 원이라도 계속 모으면 큰돈이 되고 **행복**을 준다는 것을 **깨게** 된다.

Lee Do finds 50 Korean won in a spot where he ran to after being called by his grandmother. He asks his grandmother why he should pick up such a small amount of money, and his grandmother scolds Lee Do for not cherishing even a tiny amount of money. The grandmother tells stories about money and her childhood. Lee Do and his grandmother then go to the bank to exchange burlap rice bags—filled with 50 Korean won pieces—that she had collected; they receive back the huge amount of 2 million Korean won. After that, the grandmother and Lee Do eat a lot of sweet and sour pork and noodles with black bean sauce at the Chinese restaurant, and his grandmother gives Lee the remaining money. Lee Do realizes that if he keeps collecting even 50 Korean won at a time, it will be a lot of money and give him happiness.

사용된 단어들Vocabulary List

- **깨다**: to realize
- **할머니**: grandmother
- **돈 봉투**: money envelope
- **부름**: call
- **다**: young
- **티 모아 태산**: Many a little makes a mickle.
- **귀찮음**: hassle
- **중하다**: important
- **행복**: happiness
- **가치**: value
- **꾸준히**: constantly
- **은행**: bank
- **포대**: sack
- **동전**: coin
- **주머니**: pocket
- **할아버지**: grandfather
- **바꾸다**: to exchange
- **도착하다**: to arrive
- **슬**: sadness
- **새다**: to be novel
- **후식**: dessert
- **무시하다**: to ignore
- **거금**: a large sum of money
- **뭐에요?**: What is it?
- **상상도 못했다**: to be unimaginable
- **햇빛**: sunlight
- **지금**: now/current
- **예전**: past
- **노랑색**: yellow
- **물건**: object
- **먹다**: to eat
- **명쾌하게**: clearly
- **건네주다**: to hand over
- **쉬엄 쉬엄**: to take it easy
- **아끼다**: to cherish
- **쓰다**: to use
- **사다**: to buy
- **여행**: tour

- **묻다**: to ask
- **향하다**: to head to
- **놀라다**: to be surprise

- **현금**: cash
- **가난하다**: to be poor

문제 Questions

1. 할머니는 얼마를 주었습니까?

   . 50원

   . 100원

   C. 1000원

   . 30원

2. 할머니 손자의 이름은?

   . 이명

   . 이창

   C. 이도

   . 이신

3. 할머니는 언제부터 돈을 모으기 시작했습니까?

   A. 어렸을 때부터

   . 어른이 되어서

   C. 결혼한 후부터

   . 아이를 낳고 나서

4. 할머니는 50 원에 어떤 추억이 있습니까?

   A. 라면을 끓여 먹었다.

   . 엄마와 함께 맛있는 음식을 먹었다.

C. 친구들과 함께 분식집에 갔다.

. 선생님과 함께 짜장면을 먹었다.

5. 50 원으로 사 먹을 수 있는 짜장면의 개수는?

. 2개

. 3개

C. 5개

. 1개

정답 Answers

1. A – 50 Korean won.
2. C – Lee Do.
3. A – Since she was young.
4. D – She and the teacher ate black bean sauce noodles to-
   gether.
5. B – 3.

CHAPTER 7
놀이공원 / **AMUSEMENT PARK**

박소희는 지긋이 푸른 **하늘**을 바라봤다. 구름 한 **점** 없는 맑은 **하늘**에 햇빛이 쨍쨍하게 내리쬐고 있었다. 그날 기온은 섭씨 36 도까지 올라갔고 티비에서는 폭염주의보가 발령되었으니 조심하라는 알림 소리가 나왔었다. 소희는 손으로 햇빛을 가리며 짜증부터 냈다.

"아씨 왜 이렇게 더운 거야. 모처럼 **수학여행**인데 양심적으로 너무 더운 거 아니야? 이래선 놀이기구 타기 전에 줄 서다가 숯불구이**처럼** 홀라당 타버릴 것 같은데."

가만히 서 있어서도 땀이 나는 날씨에 소희는 불만이 많은 듯했다. 학년 내내 기대했던 **수학여행**을 드디어 왔는데 이때까지 기대했던 것과 너무 다른 탓인지, 많은 인파와 날씨 때문인지, 아니면 복합적인 이유에서인지 소희의 표정에는 짜증이 가득했다.

"소희야! 휴.. 아직도 기다리고 있네. 자 받아. 시원한 딸기 맛 **아이스크림**." 가위바위보에서 져서 **아이스크림**을 사러 갔다 온 은지가 말했다.

"아 고마워. 너가 **아이스크림** 사 올 때 즈음이면 우리도 앞줄에 있을 줄 알았는데 아직 한 발자국도 안 움직였어. 사람들이 타고 내리는 건 보이는데 왜 줄이 안 움직이는 건지 앞에 줄이 보이질 않으니까 도무지 알 수가 없네."

소희가 줄을 서 있고 은지가 **아이스크림**을 사 올 때 즈음이면 둘 다 앞줄에 있을 거라고 생각했었다. 그러면 시원한 **아이스크림**을 느긋하게 먹고 재미있게 놀이기구를 타고 난 뒤에 내려오면 시간이 딱 맞을 거라고 둘은 생각했었다.

"모처럼 **수학여행**인데 날씨는 너무 덥고 사람들은 왜 이렇게 많은지.. 아니 굳이 왜 금요일 날 **수학여행**을 와야 되냐고.. 짜증나게 진짜." 소희는 **수학여행** 일정을 굳이 금요일로 잡은 학교 선생님들을 이해할 수 없었다. 평일에 오면 마음껏 놀이기구를 탈 수 있을 것인데 수업 시간 채우겠다고 주말을 끼고 여행을 와서 **제대로** 놀지도 못하는 상황에 소희는 짜증이 났다.

"그러게. 에휴 우리 학교가 그렇지 뭐. **아이스크림** 녹겠다. 얼른 먹고 기분 풀자."

그제야 소희는 제 손에 있던 **아이스크림** 포장을 뜯었다. 안에는 이미 햇빛을 받아 조금 녹은 수박 맛 **아이스크림**이 들어 있었다. 소희는 어릴 때부터 수박 맛 **아이스크림**을 좋아했는데 은지가 어떻게 알았는지 소희 취향에 딱 맞게 사 온 것이었다.

"은지야. 내가 수박바 좋아하는 거 어떻게 알았어?" 소희가 **아이스크림**을 한 입 크게 베어 물며 말했다.

"아.. 당연히 너랑 나랑 베프니깐 내가 모르는 게 뭐가 있냐. 니가 좋아하는 거 딱 알고 사 왔지." 은지가 기세등등하게 말했다.

사실 은지는 소희가 수박바를 좋아하는지 아니면 초콜릿 바를 좋아하는지 따위는 알고 싶지 않았다. 은지는 그저 손에 잡히는 **아이스크림**을 들고 사 온 것인데 마침 그게 소희가 가장 좋아하는 **아이스크림**이었던 것이다. 그래도 소희가 생색을 내던 게 멈춰서 다행이라고 은지는 생각했다.

"그건 그렇고 이 줄은 도대체 언제 움직이는 거야? 20 분 이상 기다렸는데 한 발자국도 안 움직였어. 놀이기구 **하나**에 족히 20 명 이상은 태울 건데 왜 안 줄어 드는 거지." 소희가 꿈적도 않는 줄을 보고 한숨을 내쉬며 말했다.

"조금만 더 기다려 보자. 곧 우리 차례도 오겠지." 은지가 성숙하게 소희를 달랬다.

그렇게 10 분, 20 분, 30 분이 지나고 드디어 은지와 소희의 차례가 왔다.

"다음 5 분 들어오세요. 자리 안쪽부터 채워 주시고 소지품은 좌석에 **착석**하기 전에 저기 테이블에 있는 박스 안에 넣어주세요."

은지는 주머니에 있는 **휴대폰**과 지갑을 꺼내서 박스 안에 넣었다.

"자 그럼 모두 **착석**하시고 앞에 있는 벨트를 내려주세요. 저희 **직원**이 가서 벨트가 **제대로 작동**하는지 체크**한 후**에 **열차** 출발하겠습니다." **직원**은 **발랄하게** 말했다.

소희는 **가슴**이 쿵닥쿵닥거렸다. 어릴 때 **아빠**랑 작은 청룡 **열차**는 타봤지만 이렇게 크고 빠른 **롤러코스터**는 처음 타보는 소희였다.

"은지..야? 너 **롤러코스터** 타봤어? 이거 왜 이렇게 떨리냐. 저기 위에 올라갈 때 천천히 올라가다가 **정상**에서 막 갑자기 **떨어진다는데** 어떡하지.." 소희는 떨리는 **목소리**로 은지에게 물었다.

"소희야 너무 걱정하지마. 저기 올라가서 조금이지만 주위 **풍경** 보면 **엄청** 예쁜 거 있지? **긴장하지** 말고 **풍경** 보고 있으면 혹 하고 내려가는데 그게 또 **엄청** 재미있거든."

"알았어."

"그럼 **열차** 운행 **시작합니다**. 즐거운 여행되세요." **직원**이 명쾌하게 말했다.

열차는 천천히, 탁 탁 소리를 내며 천천히 올라갔다. 10 초 즈음 지나서 **열차**는 **정상**에 도착했다. 비록 햇빛이 짱짱하게 내리쬐어서 소희가 눈을 가늘게 뜨긴 했지만, 소희는 주변의 **풍경**을 마음껏 볼 수 있었다. 길에 **걸어가는** 사람들은 **하나**의 **점** 같이 작게 보였고 햇볕에 반짝이는 **분수**는 정말 **아름다웠다**. 그리고 **열차**는 **빠르게** 활강했다.

"와.. 내 **인생**에서 제일 재미있는 **경험**이었어. **롤러코스터** 위에서 찰나에 보는 **풍경**은 정말 **아름다웠는데** 갑자기 막 **열차**가 내려가는 거 있지. **엄청 스릴있더라**. 우리 **한 번만 더** 타자 은지야 응?" 소희는 **롤러코스터**에서 내리자마자 은지에게 **열정적으로** 말했다.

"**그러자** 그럼. 나도 **롤러코스터** 타는 거 좋아해." 은지가 소희의 **열정적인** 말에 **동의**하며 말했다.

그렇게 그들은 다른 놀이 기구는 잊은 채 **롤러코스터**만 **계속** 탔다.

요약 Summary

소희와 은지는 학년 내내 기대하던 **수학여행**을 떠나게 된다. 날씨는 덥고 놀이 기구 줄은 줄어들지 않아서 소희는 짜증을 내기 **시작한다**. 마침 때맞춰 은지가 **아이스크림**을 같이 들고 오고 은지와 소희는 기다림 끝에 **롤러코스터**를 타게 된다. 소희는 처음 **롤러코스터**를 타는 것이라 **긴장을 많이 했는데** 은지는 걱정하지 말고 **풍경**과 롤러코스터의 스피드를 즐기라고 조언해주고 소희는 그 이후 롤러코스터의 매력에 흠뻑 빠지게 된다. **롤러코스터**에 재미를 느낀 그들은 금방 다시 **롤러코스터**를 타려고 줄을 서고 다른 놀이기구는 무시해버렸다.

So-hee and Eun-Ji went on a field trip that they had been looking forward to throughout the school year. The weather was hot, yet the ride's waiting line was long, so So-hee started to get annoyed. Just in time, Eun-Ji went and bought them some ice cream, and Eun-Ji and So-hee rode the roller coaster after waiting for a long time. So-hee was nervous because it was her first time riding the roller coaster, but Eun-Ji advised her not to worry and enjoy the scenery and its speed. After all that, So-hee was fascinated by the charm of the roller coaster. Energized by the roller coaster's entertainment, they lined up for the roller coaster again and ignored the other rides.

사용된 단어들 **Vocabulary List**

- **수학여행**: field trip
- **놀이 공원**: amusement park
- **롤러코스터**: roller coaster
- **열정적으로**: passionately
- **아이스크림**: ice cream
- **하늘**: sky
- **스릴 있다**: to be thrilling
- **정상**: apex
- **휴대폰**: mobile phone
- **착석**: to sit down
- **직원**: staff
- **떨어지다**: to drop
- **~ 한 후**: after that
- **시작합니다**: to start
- **빠르게**: rapidly
- **목소리**: voice
- **제대로**: properly

- **작동하다**: to operate
- **아빠**: father
- **발랄하게**: energetically
- **충분한**: enough
- **가슴**: chest/heart
- **열차**: train
- **점**: dot
- **하나**: one
- **걸어가다**: to walk
- **~처럼 보이다**: to seem like
- **경험**: experience
- **그러자**: sure
- **계속**: constantly
- **동의하다**: to agree
- **한 번 더**: one more time
- **엄청**: really
- **풍경**: landscape
- **아름답다**: to be beautiful

73

- **인생**: life
- **분수**: fountain

- **긴장하다**: to be worried

1. 수학여행 날의 날씨는 어떤가요?

    . 매우 덥다.

    . 춥다.

    C. 비가 온다.

    . 따뜻하다.

2. 은지는 무슨 아이스크림을 소희에게 건네주나요?

    . 수박바

    . 초코바

    C. 바밤바

    . 빠삐코

3. 은지는 소희에게 롤러코스터를 타면 무엇을 보라고 하나요?

    . 하늘

    . 바닥

    C. 은지의 얼굴

    . 풍경

4. 소희가 롤러코스터를 탄 후 반응으로 옳은 것은?

    A. 무서워한다.

    . 롤러코스터를 타는 것을 좋아하기 시작한다.

C. 두통이 생긴다.

. 다시 타고 싶지 않아 한다.

5. 소희의 요청에 은지의 대답으로 옳은 것은?

. 다시 타기 싫다.

B. 다른 걸 타고 와서 탄다.

C. 바로 줄을 서서 다시 탄다.

. 조금 쉬고 다시 탄다.

정답Answers

1. A – Very hot.
2. A – Watermelon ice cream.
3. D – Landscape/View
4. B – She starts to like riding the roller coaster.
5. C – They line up again immediately.

CHAPTER 8

대학생 / **A COLLEGE STUDENT**

길고 긴 12 년간의 **초, 중, 고등학교** 생활을 끝내고 영훈은 드디어 **대학교 입학**을 앞두고 있다. 12 년 동안 많은 일들이 있었다. 엄마 **손** 붙들고 무섭게 생긴 철로 만든 교문 앞에서 학교 선생님 **손** 다시 부여**잡고** 학교로 들어가고, 눈 깜짝할 사이에 벌써 중학생이 되어서 엄마한테 대들고, 가출하고, **피시방** 가다가 또 어느새인가 고등학교에 들어가서 계속 놀다가 고3 때서야 제대로 정신 차리고 공부했던 게. 그 12 년의 세월이 영훈에겐 참 아득히 멀고도 또 가까운 **시간**이라고 생각했다. 이제 **대학교**라는 곳에 가서 자신이 원하는 것, 이루고 싶은 것 다 하며 살 거라고 영훈이는 다짐했다.

영훈은 고등학교 3 학년 때 정말 피 터지게 열심히 해서 서울 안에 있는 **대학교**에 붙었다. 아직 과는 정하진 않았지만, 영훈은 기계공학과 같은 과에 들어가고 싶어 했다. 오늘은 영훈이 기다리고 기다리던 **대학교**의 첫 **수업**이 있는 날이다.

또 하루 멀어져 간다. 내뿜은 담배 연기처럼... 점점 더 멀어져 간다. 머물러 있는 청춘인 줄 알았는데...

영훈의 휴대폰에서 알람 **소리**가 흘러나왔다. 영훈은 **나이**에 걸맞지 않게 1990 년도 노래를 좋아해서 항상 기상 **알람**으로 90 년대 노래를 지정해 놓았다.

"아이고 피곤하다." 영훈이 기지개를 펴며 **말**했다.

시간을 보니 아직 학교 등교 1 **시간** 전이었다. 영훈이는 얼른 **일어나서 밥** 먹고 샤워한 후 어제 검색해서 본 **버스** 노선대로 꿈에 그리던 **대학교**를 등교할 예정이었다.

영훈은 서울에서 **대학교**를 다니기 위해서 **대학교**에서 **차**로 약 20 분 거리에 있는 자취방을 얻었는데 아직 짐들이 다 들어오지 않아서 아침**밥**은 밖에서 사 먹어야 했다. 준비를 다 한 후 영훈은 한 달 전 유튜브에서 본 '대학생 ' 그대로 옷을 입고는 한껏 들뜬 마음으로 집을 나섰다.

"아이고 학생 어딜 이렇게 빨리 가나?" 자취방 주인 아주머니가 서둘러 집을 나서는 영훈이를 보고 **말**했다.

"안녕하세요　　아주머니.　　아주머니야말로　　엄청　　일찍 **일어나셨네요**. 저는 오늘부터 **대학교** 등교라서 아침**밥** 먹으러 갑니다." 영훈은 힘차게 **말**했다.

주인 아주머니는 영훈이 처음 이사할 때부터 많은 걸 도와주신 착한 분이었다.

"그럼 나는 항상 이 **시간**에 **일어나**. 마침 이제 아침밥을 먹으려고 했는데 학생도 와서 같이 먹지." 주인 아주머니가 부드럽게 **말**했다.

"아 아닙니다. 그래도 항상 얻어먹을 수만은 없죠. 괜찮습니다." 영훈은 정중하게 거절했다.

"학생 내가 **혼자 밥** 먹으니깐 외로워서 그래. 얻어먹는다고 생각하지 말고 이 늙은이랑 같이 **밥** 한번 먹어준다고 생각해 주면 안 되겠나?"

주인 아주머니가 다시 한번 **말**했다.

"네. 아주머니가 그렇게 말씀하신다면 저야 감사하죠." 영훈이 마지못해 **말**했다.

"내가 학생 난감하게 만든 건지 모르겠네. 자, 일단 이리로 들어와요. 오늘은 내가 막 **맛있는 음식**을 하지는 못했고 불고기 덮**밥** 괜찮죠?"

"네. 그럼요."

아주머니는 금세 불고기 덮**밥**을 만들어서 학생에게 건넸다.

"학생 부모님이랑 떨어져서 살려니깐 **힘들죠**? 가끔씩 이렇게 **밥** 먹으러 와요. 내 **자식**들은 이미 **대학교** 다 **떠나고** 없어서 나는 항상 외로우니깐 언제든지 환영이에요." 주인아주머니가 힘없이 **말**했다.

"감사합니다, 아주머니. 이거 너무 맛있어요." 영훈이는 주인아주머니와 잠시 동안 **밥**을 먹으며 담소를 나누고는 서둘러 집을 나왔다.

영훈은 곧장 **버스**를 타고 **대학교**로 가서 조금 **구경**을 하다가 **수업**에 들어갈 예정이었다.

버스를 기다리기를 5 분. 저기 멀리서 142 번 **버스**가 보였다.

영훈은 **버스** 위에 **올라**타서 교통카드를 찍으려고 하는 **순간** 백미러에 어떤 **여학생**이 뛰어오고 있는 게 보였다.

영훈은 **버스 기사**에게 잠시 기다리라고 한 뒤 **버스**에 내려서 멀리 뛰어오는 **여학생**에게 천천히 와도 된다고 **소리쳤다**.

여학생은 영훈의 **말**을 들은 둥 만 둥 하다가 너무 빨리 뛰었는지 **버스** 앞에서 자기 발에 걸려서 영훈한테 넘어지고 말았다.

"아이고오... 아파라,, 어.. 어머. 괜찮으세요?" **여학생**이 넘어진 영훈을 보고 **말**했다.

"그럼요. 그쪽은 괜찮으신가요?" 영훈은 **바닥**에 **손**을 짚고 **일어나며 말**했다.

"아 네 괜찮습니다. 감사해요." **여학생**은 짧게 감사 인사를 건넨 뒤 영훈과 함께 **버스**에 **올라**탔다.

여학생이 교통카드를 찍고 뒤이어 영훈이 교통카드를 **꺼내려는데** 지갑 안에 교통카드가 없었다.

"아... 큰일 났네. 교통카드를 놔두고 왔어." 영훈이는 한숨을 폭 내쉬며 뒤돌아서 내리려고 했다.

그때 앞서 자리를 찾아가던 **여학생**이 영훈이의 **소리**를 듣고 터벅터벅 **걸어**와서는 교통카드를 찍어주곤 **말**했다.

"이러면 셈 셈인 거예요."

"아. 감사합니다."

여학생이 아까 자신을 도와준 영훈에게 감사를 표하며 교통카드비를 대신 **지불해** 주었다.

그 후 영훈은 자리에 앉아서 생각했다. **대학교**를 도착하지도 않았는데 여러 사람에게 **도움**을 받고 또 주었다. 학창 시절에는 자신의 성적과 대학 진학 문제 때문에 항상 자신밖에 몰랐던 영훈이지만 **대학교**를 가고 **사회**에 나가면 **남**들을 도와주고 살아야겠다고 영훈은 다짐했다.

요약 Summary

길고 긴 12 년간의 **초, 중, 고등학교** 생활을 끝내고 영훈은 드디어 **대학교 입학**을 앞두고 있다. 12 년 동안 많은 일들이 있었다. 엄마 **손** 붙들고 무섭게 생긴 철로 만든 교문 앞에서 학교 선생님 **손** 다시 부여**잡고** 학교로 들어가고, 눈 깜짝할 사이에 벌써 중학생이 되어서 엄마한테 대들고, 가출하고, **피시방** 가다가 또 어느새인가 고등학교에 들어가서 계속 놀다가 고3 때서야 제대로 정신 차리고 공부했던 게. 그 12 년의 세월이 영훈이에겐 참 아득히 멀고도 또 가까운 **시간**이라고 생각했다. 영훈은 이제 **대학교**라는 곳에 가서 자신이 원하는 것, 이루고 싶은 것 다 하며 살 것이라 다짐한다.

After twelve years of elementary, middle, and high school, Younghoon finally enters university. Many things happened in twelve years. The times when he went to the formidable iron gate at the elementary school, holding his mom's hand and then his teacher's hand, seemed like yesterday. A few days later, he was in middle school; rebelled against his mother, left his house and went to a PC bang (a LAN gaming center) and, a few moments later, he was in high school and kept slacking until his senior year, when he had a change of heart and studied hard. The twelve years may be both a long and a short time in his life. He told himself that he would go to university to do and achieve everything he wants.

사용된 단어들Vocabulary List

- **초등학교**: elementary school
- **중학교**: middle school
- **고등학교**: high school
- **수업**: lesson
- **여학생**: female student
- **버스**: bus
- **바닥**: floor
- **대학교**: university
- **기사**: driver
- **자식**: children
- : fashion
- **힘들다**: to be tired
- **가끔**: sometimes
- **밥**: food
- **순간**: moment
- **오르다**: to go up
- **손**: hand
- **잡다**: to grab
- **피시방**: Internet Café

- **걷다**: to walk
- **소리치다**: to shout
- **알람**: alarm
- **시간**: time
- **지불하다**: to pay
- **소리**: sound
- **맛있는**: delicious
- **음식**: food
- **사회**: society
- **남**: others
- **일어나다**: to wake up
- **떠나다**: to leave
- **도움**: help
- **입학**: enroll
- **나이**: age
- **차**: car
- **구경**: tour
- **말**: talk
- **꺼내다**: to take out

문제 Questions

1. 다음 중 맞는 답을 고르시오.

   . 주인 아주머니가 밥을 주셨다. [True/False]

   . 영훈은 교통카드를 놔두고 왔다. [True/False]

2. 영훈이 어릴 때 하지 않은 것으로 옳은 것은?

   . PC방에 간다.

   . 연애를 한다.

   C. 가출한다.

   . 엄마 손잡고 초등학교에 간다.

3. 주인 아주머니가 영훈이가 밥을 먹지 않았다고 들었을
   때의 반응으로 옳은 것은?

   . 밥 사 먹을 돈을 주신다.

   . 밥을 같이 먹자고 한다.

   C. 무시한다.

   . 다음에 밥을 같이 먹자고 한다.

4. 본문에 근거해 다음 중 영훈이 사회에 나가서 할 일로
   알맞은 것을 고르세요.

   . 좋은 회사를 다니려고 노력한다.

   . 하고 싶지 않은 것을 하며 산다.

C. 남을 도우며 산다.

. 자신만 생각하며 산다.

5. 여학생이 영훈이를 도와준 이유는?

. 영훈이가 여학생을 먼저 도와주어서.

. 영훈이가 잘생겨서.

C. 여학생이 착해서.

. 영훈이가 다음에 돈을 갚겠다고 해서.

정답 Answers

1. False, False
2. B – Have a romantic relationship.
3. B – She says "let's eat together."
4. C – Help others.
5. A – Younghoon helped the female student first.

CHAPTER 9

우정 / **FRIENDSHIP**

지은에겐 어릴 때부터 **같이 자라**오던 **친구**가 있다. 항상 죽마고우처럼 지내던 사이라 서로에 대해서 모르는 것이 없는 **친구**. 서로의 **부모님**들도 **같이** 친했기 때문에 어릴 때부터 쭉 내 모습을 봐오던 **친구**. 지은은 그런 **친구**가 멀리 떠나간다는 소식을 들었다. 지은은 생각하는 것보다 더 아득하게 멀리.

한가로웠던 어느 **저녁** 지은의 **집**에 느닷없이 **전화**가 **울렸다**. - 띠리링 띠리링.. 지은은 **부모님**이 **돌아가시기** 전에 말고는 **집 전화**를 거의 쓴 적이 없는데 **부모님**이 항상 들고 **전화**를 받던 **전화기**라 **전화**를 해제하기가 뭣 해서 그냥 그대로 놔두었었다. 광고성 **전화**가 올 법도 한데 저 **전화기**는 약 5 년간 한 번도 **울린** 적이 없었고 저 **전화번호**를 아는 사람은 어릴 때 **부모님**과 친했거나 지은의 베스트 프렌드들 밖에 몰랐었다.

"웬일이래.. **전화**가 다 오고. 무섭게 시리." 지은은 왠지 모르게 저 **전화**를 받고 싶지 않았다. 예전 TV 방송에서 죽은 사람이 옛날에 사용했던 **전화번호**로 **전화**를 건다는 희한한 **스토리**를 들었기 때문에 더욱 **전화**를 받고 싶지 않았다.

"그래도 받기는 받아야겠지." 지은은 한숨을 폭 내쉰 후 자리를 박차고 **전화기**를 향해서 터벅터벅 걸어갔다.

오랫동안 사용하지 않은 **전화기**는 **먼지**가 수북이 쌓여 있었지만 오랜만에 온 **전화**에 신난 듯 **전화기**는 온 힘을 다해서 **전화**가 왔다는 것을 알리고 있었다.

지은은 **최대한 먼지**가 **묻지** 않게 하기 위해서 새끼손가락을 치켜들고는 고리를 만들어서 **전화기**를 들고 테이블에 내려놓은 후 스피커 버튼을 눌렀다.

전화기 넘어서는 약 30 초 동안 아무 소리도 들리지 않았다. 지은은 예전에 TV 에서 본 것이 계속 생각나서 말하기를 주저하다 마지못해 목소리를 내었다.

"여 보세.." 지은이 **인사말**을 다 끝나기도 전에 **전화기** 넘어로 목소리가 들려왔다.

"혹시 지은이 **집** 맞나요? 너무 **오래전 전화번호**라 아니면 죄송합니다." **떨리는 여성**의 목소리가 **전화기**를 통해서 전해졌다.

지은은 뭔가 힘없는 목소리에 예전에 봤던 귀신이 **전화** 건다는 **스토리**가 아닐까 무서웠지만 그래도 용기를 내서 **떨리는** 목소리로 말했다.

"네. 지은이 **집** 맞습니다. 무슨 용건으로 **전화**하셨나요?"

"아.. 지은이 맞구나. 나 은주야 은주. 기억나? 너 가장 친한 친구." 은주는 **떨리는** 목소리로 말했다.

지은은 잠시 생각할 필요도 없이 바로 대답했다.

"은주야? 와 정말 반갑다. 너 왜 이때까지 연락 한 번 없었어? 너 유학 가고 난 후로 내가 얼마나 연락하려고 노력했었는데 어떻게 20 년이 지난 지금에서야 연락하냐.." 지은은 18 년을 **같이** 동고동락해온 은주의 목소리를 듣자 조금 울컥했다.

"응.. 나야 잘 지내지. 지은아 내가 지금 시간이 없어. 오랫동안 연락 못 한 거 아는데 염치없이 **부탁** 하나만 해도 될까?" 은주는 힘을 짜내는 듯 말했다.

"응. 그럼. 무슨 일이야?" 지은은 무언가 잘못되었다는 것을 알지만 왠지 은주에게 물어보면 안 될 것 같아 물어보지 않았다.

"너 우리가 옛날에 고등학교 다닐 때 우리 서로 같은 시간이랑 **날짜**에 죽자고 막 그랬던 거 기억나지? 만약에 누가 늙어서 나 아파서 먼저 가면 **무**에 우리 행복했던 기억들 다 타임캡슐로 담아서 **묻어주기**로 한 거."

"응. 기억나지. 근데 무슨.. 일인데 그래? 그건 왜 말하는데." 지은은 놀라서 은주에게 물었다.

"나 곧 멀리 떠날 것 같아. 나 왜 어릴 때 **심장 질환** 있었잖아. 그게 **악화돼서** 많아봤자 **이틀**밖에 못 살 거래. 너랑 오래오래

살기로 **약속**했는데 유학 간 이후로 연락 한 번 얼굴 한 번 보지 못해서 미안하다. 야.. 그래도 나 죽으면 여기 **해외**긴 하지만.. 와서 내 얼굴 한 번 보러 와줄.." 은주는 마지막 말을 끝내지 못했다.

은주는 마지막 순간에 힘을 내서 지은에게 **전화**했던 것이었다. 지은은 갑작스러운 연락과 은주의 **죽음**에 한동안 눈물만 흘릴 뿐이었지만 은주와 **약속**을 **지키기로 했다**.

지은은 은주가 **묻혀 있는 독일**로 비행기 편을 끊고 **1 주일** 후 그곳에 도착했다. 은주는 어릴 때부터 자신의 몸이 **약하다**고 해서 자신이 언제든지 죽을 수 있고 만약 그렇게 된다면 그전에 꼭 지은에게 **전화** 주겠다고 했고 은주는 그 **약속**을 지켰다. 이제는 지은이 은주에게 **약속**을 지킬 차례다.

지은은 **가방**에서 어린 시절의 사진이 든 타임캡슐을 꺼내 **조심히 무**에 **묻었다**.

그러고는 속으로 **속**였다. "잘 가.. **친구**야."

요약 / **Summary**

지은에겐 어릴 때부터 **같이 자라**오던 **친구**가 있다. 항상 죽마고우처럼 지내던 사이라 서로에 대해서 모르는 것이 없는 **친구**. 서로의 **부모님**들도 **같이** 친했기 때문에 어릴 때부터 쭉 내 모습을 봐오던 **친구**. 지은은 그런 **친구**가 멀리 떠나간다는 소식을 들었다. 지은이 생각하는 것보다 더 아득하게 멀리. 지은은 은주와의 **약속을 지키려고 한다**.

Ji-Eun has a friend who she grew up with since she was very young. They've always been best friends, so they know everything about each other. Even their parents were close. Unfortunately, Ji-Eun heard that her friend was going far away. Farther than Ji-Eun thought she would. Ji-Eun tries to keep her promise to Eunju.

사용된 단어들 **Vocabulary List**

- **우정**: friendship
- **울다**: to cry
- **전화번호**: phone number
- **오래전**: long time ago
- **인사말**: greeting
- **집**: house
- **스토리**: story
- **전화기**: phone
- **저녁**: dinner
- **먼지**: dirt
- **최대한**: as best as one can
- **부모님**: parents
- **돌아가시다**: to pass away
- **죽음**: death
- **자라다**: to grow up
- **같이**: together
- **떨다**: to be shaking
- **여성**: female
- **약속**: promise
- **친구**: friend

- **독일**: Germany
- **비행기**: airplane
- **무**: tomb
- **전화**: call
- **심장**: heart
- **질환**: disease
- **악화되다**: to worsen
- **이틀**: two days
- **날짜**: dates
- **묻다**: to bury
- **부탁**: favor
- **해외**: abroad
- **1 주일**: one week
- **약하다**: to be weak
- **조심히**: carefully
- **묻다**: to ask
- **지키다**: to keep
- **가방**: bag
- **속이다**: to whisper

문제 Questions

1. 지은의 친구의 이름으로 알맞은 것은?

   . 은지

   . 은주

   C. 세연

   . 수연

2. 지은이 전화기를 치우지 않는 이유는?

   . 전화기를 치우는 것을 깜빡해서

   . 전화기가 예뻐서

   C. 전화기를 자주 사용해서

   . 부모님이 사용하던 것이여서

3. 은주가 전화한 이유는?

   . 약속을 지켜달라고 말하기 위해.

   . 지은에게 잘 지내고 있다고 말하고 싶어서

   C. 너무 오래 연락을 안 해서

   . 지은의 근황이 궁금해서

4. 맞는 답을 고르시오.

   . 은주는 심장 질환이 있다. [True/False]

   . 은주는 지은이의 가장 친한 친구다. [True/False]

5. 지은은 은주와의 약속을 지키기 위해서 어느 나라로
   가나요?

   . 한국

   . 영국

   C. 독일

   . 태국

정답 Answers

1. B - Eunju.
2. D – Her parents used it often.
3. A – To ask her a favor.
4. True, True
5. C - Germany.

CHAPTER 10

크리스마스/ **CHRISTMAS**

크리스마스는 누구에게나 **즐거운** 날입니다. **아이들**은 **산타로스**에게 **선물**을 받아서 좋고 어른들은 자신과 **사랑하는** 가족들과 시간을 보낼 수 있어서 좋습니다. 하지만 **크리스마스**에도 **즐거운** 시간을 **보내지** 못하는 **아이들**이 있습니다. **고아원**에 있는 **아이들**은 자신을 **사랑해 주는 가족**도, **산타로스**에게 **선물**을 받을 **양말**을 걸을 집도 없습니다. 이들에게 **크리스마스**는 그들의 외로움을 더욱 더 보채기만 할 뿐이었습니다. 연우가 오기 전까지는 말이죠.

연우는 **특별한** 아이입니다. 연우는 5년 전에 베이비 카트에 버려져서 위탁 가정에서 자라다 입양 갈 부모를 찾지 못해서 **고아원**으로 들어오게 되었습니다. 다른 **고아**들과는 다르게 위탁 가정에서 많은 **사랑**을 받고 자라서 그런지 연우는 항상 발랄하고 활발한 아이였습니다.

"얘들아! 숨바꼭질하자! 왜 그렇게 울상이야 나랑 **놀자** 얼른"이라고 소리치고 다니며 친구들과 어울리곤 했죠.

보통 어른들이 와서 입양해 갈 아이를 고르고 나면 **남은 아이들**은 내색은 안 하지만 울상이 되기 마련입니다.

연우는 어른들이 와서 입양을 해가든 말든 신경을 쓰지 않는 아이였어요. 연우의 위탁모는 연우에게 이 세상에서 누가 부모라고 지정해 줘야 만이 부모가 아니고 모든 사람이 다른 사람에게 부모와 같은 역할을 할 수 있다고 가르쳤어요. 심지어 자신보다 나이가 어린 **아이들**도 때로는 부모처럼 **누군가를 위로해 주는** 게 가능하다고 연우는 배웠죠.

그래서 연우는 항상 **누군가를 위로해 주고**, 공감해 **주고**, **사랑해 주는** 법을 알고 있었습니다.

그렇게 **고아원**의 **아이들**에게 **행복**을 나눠주고 있다 보니 어느덧 **크리스마스가 다가왔습니다.**

크리스마스는 **전세계**에 있는 모든 **아이들**이 가장 **기대하는** 날이기도 하지만 **고아원**의 **아이들**은 가장 **싫어하는** 날이기도 합니다.

크리스마스가 되면 **대부분**의 **선생님**들도 자신의 자식과 **가족**들이랑 시간을 **보내려고 고아원**을 떠나기 때문에 **고아원**은 **크리스마스**만 되면 **아이들**과 **몇몇 선생님**만 **남고**는 했습니다.

"아.. 또 **크리스마스**야. 난 **크리스마스** 싫은데.." 연우는 자기 **또래 아이들**이 불평하는 걸 우연히 들었습니다. 연우에게 크리스마스란 **사랑하는** 사람들과 같이 **보내는 행복**한 시간으로 기억하고 있었고 그래서 **고아원 아이들**에게도 **크리스마스** **행복**한 시간이 되길 바랐습니다.

그렇게 **고민하기를** 한참 연우는 담당 **선생님**이 즐겨 듣는 **라디오**에서 흘러나오는 **광고를** 듣고 아이디어를 번뜩 떠올랐습니다.

광고에서는 "이번 **크리스마스**에 **아이들**에게 **서프라이즈를** 해주고 싶다고요? 02 - 123 - 1234 로 **연락 주세요!**"라는 힘찬 말투가 들렸습니다.

연우는 **곧장 선생님**에게 달려가서 휴대폰을 빌릴 수 있는지 물어봤습니다. **선생님**은 연우에게 무슨 일로 휴대폰을 **빌리고** 싶은지 물어봤지만, 연우는 **일부러 선생님**에게 이유는 말해주지 않고 빌려 달라고 생떼만 썼습니다.

연우는 전화기를 빌린 **뒤 광고**에 나온 전화번호로 전화를 해서 **고아원**에 **서프라이즈를** 해 달라고 물어봤습니다. 하지만 전화기 너머로는 약 30 만 원이 **필요하다고** 연우는 들었습니다. 수중에 100 원도 없던 연우는 낙담했지만 **그래도 매일** 전화해서 물어보기로 했습니다.

매일매일 전화를 받던 **안내원**이 참다 못해서 자신의 **상사**에게 연우의 **사정**을 전했고 감동을 받은 **상사**는 크리스마스 날 **산타**와 함께 무료 **선물**을 가득 **보내주기로** 했습니다.

99

그렇게 **크리스마스**가 되고 **고아원**의 **아이들**은 **산타**가 **주는**
선물을 받고 연우 덕분에 **행복**하게 **크리스마스**를 보냈답니다.

요약 Summary

크리스마스는 누구에게나 **즐거운** 날입니다. **아이들**은 산타로스에게 **선물**을 받아서 좋고 어른들은 자신과 **사랑하는** 가족들과 시간을 보낼 수 있어서 좋습니다. 하지만 크리스마스에도 **즐거운** 시간을 **보내지** 못하는 **아이들**이 있습니다. **고아원**에 있는 **아이들**은 자신을 **사랑해** 주는 **가족**도, **산타로스**가 **선물**을 받을 **양말**을 걸을 집도 없습니다. 이들에게 **크리스마스**는 그들의 외로움을 깊게만 할 뿐이었습니다. 연우가 오기 전까지는 말이죠.

Christmas is a happy day for everyone. Children are delighted to receive gifts from Santa Claus, and adults are happy to spend time with their loved ones. But some children can't have a good time even at Christmas. Children in the orphanage have no loving family or house to hang stockings in for Santa Claus. For them, Christmas only made their loneliness worse. However, when Yeonwoo comes, Christmas becomes memorable for the orphans as well.

사용된 단어들Vocabulary List

- **크리스마스**: Christmas
- **특별한**: special
- **고아원**: orphanage
- **고아**: orphan
- **전세계**: worldwide
- **위로하다**: to comfort
- **또래**: fellow
- **선생님**: teacher
- **대부분**: majorty
- **양말**: sock
- **산타**: Santa Claus
- **선물**: gift
- **놀다**: to play
- **즐거운**: enjoyable
- **서프라이즈**: surprise
- **일부러**: deliberately
- **~뒤**: after
- **안내원**: guide
- **행복**: happiness
- **빌리다**: to borrow
- **광고**: advertisement
- **라디오**: radio
- **사정**: condition
- **상사**: boss
- **매일 매일**: every day
- **그래도**: even though
- **보내다**: to send
- **연락**: contact
- **가족**: family
- **아이들**: kids
- **싫어하다**: to hate
- **기대하다**: to expect
- **사랑하다**: to love
- **누군가**: someone
- **몇몇**: some
- **고민하다**: to ponder
- **곧장**: straight away
- **필요하다**: to need
- **주다**: to give
- **남다**: to stay
- **다가오다**: to arrive

문제 Questions

1. 고아원 아이들에게 크리스마스가 즐겁지 않은 이유는?

   . 집이 없어서

   . 산타를 믿지 않아서

   C. 돈이 없어서

   . 이미 선물을 많이 받아서

2. 연우는 어떤 아이인가요?

   . 활기차고 발랄하다.

   . 나쁘다.

   C. 자신밖에 모른다.

   . 선생님을 존중할 줄 모른다

3. 라디오에 나오는 광고주가 연우에게 선물을 보내기로 한 이유는?

   . 연우가 대견하고 고아들이 불쌍해서

   . 연우가 돈을 지불해서

   C. 선생님이 연우 대신 돈을 지불해서

   . 선물이 남아서

4. 연우가 크리스마스를 좋아하는 이유는?

   . 겨울이 좋아서

   . 산타를 볼 수 있어서

C. 선물을 받아서

. 사랑하는 사람이랑 같이 지내는 시간이여서.

5. 이번 크리스마스를 고아들이 좋아하는 이유는?

. 연우 덕분에 선물을 받아서

. 눈이 와서

C. 선생님들이 집에 가지 않고 남아서

. 입양을 가서

정답 Answers

1. A – They don't have a home
2. A – Yeonwoo is energetic and bright.
3. A – He is proud of Yeonwoo and felt sympathy for the orphans.
4. D – You can spend time with your loved ones.
5. A – They received presents because of Yeonwoo.

CHAPTER 11
첫사랑/ **FIRST LOVE**

사랑이라는 **감정**은 누구나 가지고 있는 감정이다. 지우는 사랑이라는 감정을 어릴 때 부모님께 배웠다. 부모님은 지우가 사탕을 먹고 싶다고 하면 사탕을 사서 지우 손에 쥐여 주셨고, **폭풍우** 치는 날 지우가 부모님 품으로 달려가면 품 안에 안아 주셨으며, 지우가 **초등학교**에 들어갈 때는 지우가 **자랑스럽다**며 지우가 그토록 원하던 건담 피규어도 사주셨다. 부모님의 **무한한** 사랑으로 지우는 착한 마음, 그리고 사랑하는 법을 알게 되었다. 비록 부모님이 주신 것은 부모의 사랑일지라도.

지우에게는 친구가 있다. 친구라는 것이 같은 학교를 다니는 학생을 통틀어 말하는 것이라는 **전제하에**. 초등학교 1 학년 때 같은 반이었던 진희라는 여학생은 항상 **혼자**인 것처럼 보였다. 큰 키와 하얀 피부의 예쁜 얼굴로 학교에서 **인기**가 많았고 선생님들도 항상 좋아했지만 진희의 얼굴에는 **근심** 가득한 **표정**이 드리워져 있었으며, 학교가 끝나거나 운동회 뒤풀이 같은 행사에도 핑계를 대며 참여하지 않았다. 초등학교 때 **지나친 관심**을 받는 학생들의 **대부분**이 그러하듯 진희는 학년이 올라가면 올라갈수록 학교에서 **소위** 말하는 **일진**에 흘러 들어가게 되었다.

지우는 그런 진희가 **안쓰러워** 보였다. 지우는 진희와 말을 나누어 본적도, 같이 놀이터에서 놀아본 적도 없었지만, 초등학교 5 학년이 될때까지 매년 같은 반이었다. '보통은 3 년 이상 같은 반이 되지는않으니 이것도 **인연**이라면 인연이라고 할 수 있지 않을까'라고지우는 생각했다. 지우는 그렇게 진희를 5 년 동안 지켜봤기 때문에진희가 언제 일진에 들어가게 되었는지, 일진에 들어간 이후로어떻게 변해갔는지, 얼굴에 있던 근심이 얼마나 더 짙어졌는지 알 수있었다. 진희와는 함께 무언가를 같이 해 본 적도 없는 그저 같은 반친구일 뿐이었던 지우는 부모님께 '사랑'이라는 감정을 배웠기때문에 안쓰러운 그 친구를 보고 '**동정**'이라는 감정을 느낄 수 있었고한 번이라도 진희의 근심 없는 얼굴이 보고 싶었다. 그렇게 시간이지나고 지우는 초등학교 5 학년에 수학여행을 가게 되었다.

지우는 여행을 가는 것을 매우 좋아한다. 부모님과 함께 캠핑을 가서물고기를 잡아 **매운탕**을 끓여 먹은 기억, 7 살 생일 기념으로 일본후쿠오카에 가서 **장한** 일본식 **궁전**을 배경으로 **꽃나무** 아래에서 찍은사진과 **피로**를 풀어 주는 **온천**의 따뜻함, 지우는 **비록** 많지는 않지만,여행을 갔던 기억 하나하나를 **소중하게 간직하고** 있었다.

그래서 지우는 이번에 있는 수학여행을 **기대하지** 않을 수 없었다.초등학교를 들어온 이후에 몇 번 여행을 가보기는 했지만 다 **당일치기 여행**이었고 **1 박 2 일**로 친구들과 함께 여행을 가서 자고 오는것은 처음이었다.

지우의 입가에는 반 친구들과 여행 가서 **베개 싸움**할 생각, 새벽까지깨어 있어 볼 생각, 친구들과 **담력 시험**할 생각, 그리고 **진실게임**을 통해 **진솔한 대화**를 나누어 볼 생각으로 **미소**가 지어졌다. 이번 **기회**를 통해 지우는 진희와 조금 더 친해지고 싶었다. '조금 더 **친해진다**'라는 말이 **정한 표현**인지는 모르겠지만 **어든** 진희와 **가까워지고** 싶다고 지우는 생각 했다.

"삐-"

지우가 **교문**을 들어서자마자 **호루라기 소리**가 **날카롭게** 지우의 귀를 치고 갔다.

"여러분, 반 별로 **집결**해주세요. **반장**은 제일 앞에 서고 남학생 여학생으로 나누어 두 줄로 서 주세요." 호루라기를 손에 들고 **체육복**을 입은 선생님이 말했다.

지우는 어젯밤부터 여행을 갈 생각에 잠을 잘 자지 못해서 매우 **피곤한** 상태였지만 선생님의 호루라기 부는 소리를 들으니 정신이 바짝 드는 것 같았다. 지우는 새벽 6 시부터 일어나서 엄마가 **도시락** 싸주시는 모습을 옆에서 지켜봤다. 지우가 진짜 여행 느낌을 느낄 수 있게 **김밥**을 싸 달라고 했더니 엄마가 새벽부터 고소한 향이 나는 김밥을 만들어 주셨다. 버스 안에서 잠시 눈을 붙이고 일어나 보니 벌써 수학여행 장소인 **부여**에 도착했다.

숙소에 **짐을 풀고** 다시 나가서 선생님의 자세한 설명과 함께 부여 곳곳을 **관광**했다. 지우는 **역사**에는 **관심**이 없어서 부여 관광 일정이 많이 지루할 것이라고 생각했었는데, **의외로** 재미있었고 시간도 빠르게 흘러갔다. 선생님께서 역사 설명을 어렵지 않게 해 주셔서 그랬던 것 같다고 생각했다. 아니면 중간에 반 아이들과 함께 먹은 점심 도시락이 맛이 있어서였을까?

긴 하루의 일정이 끝나고, 숙소에 다시 돌아온 학생들은 방에 자리를 잡고 게임을 하기 시작했다. 게임은 자기 전까지 계속될 것 같아 보였다. 베개 싸움을 하는데 지우는 우연히 진희와 **일대일**로 싸움을 하게 되었다. 여자아이니까 살살해야겠다고 생각한 지우를 놀리듯 진희는 베개에 엄청난 힘을 싣고 지우를 때리기 시작했다. 머리, 어깨, 허리, 다리, 안 맞은 곳이 없을 정도로 **폭**을 당한 지우는 '에라 모르겠다, 나도 맞고만 있을 수는 없지!' 하고 진희의 등을 베개로 내리쳤다. 진희가 "악!" 하며 바닥에 엎어지고 나서야 정신을 차린 지우는 진희를 깨우기 시작했다. "진희야, 괜찮아? 진희야, 일어나 봐!" 잠시 후 눈을 뜬 진희는 무슨 일이 있었는지 모르는 것 같은 표정을 짓고 있었다. 지우는 진희를 일으켜 앉히고는 미안하다며 **진심 어린 사과**를 했고, 진희는 그런 지우를 보고 놀라며 괜찮다고, 너무 진지하게 게임을 해서 자기가 도리어 미안하다고 **역으로** 사과했다. 그렇게 둘이 앉아 서로 사과를 **반복하던** 중 지우는 자기도 모르게 웃음이 나왔다. 그런 지우를 보고 진희도 웃기 시작했다. 한참 웃던 둘은 약간의 **스러움**과 약간의 **들뜬 마음**이 **교차했고**, 어느새 가슴이 두근대는 것을 느끼고 있었다.

둘이 시간을 보내고 있던 사이 남자아이들은 벌써 숙소 위쪽 산으로 담력 시험을 하러 올라갔고, 여자아이들은 간식을 사러 근처 마트에 가서, 숙소에는 지우와 진희만 남아 있었다. 이번 수학여행 때 친구들과 함께 담력 시험을 하려고 **르고 있었던** 지우는 **아쉬운**

마음이 들었지만, 한편으로는 둘만 남았다는 사실에 이번 기회에 진희와 가까워지면 좋겠다는 **심**이 생겼다.

서로 **마주치면** 인사나 하던 사이였기에 **어색함**이 **살짝** 돌기는 했지만 진희가 둘이서 진실게임이나 하자는 **제안**에 방안에 돌던 **기**가 사라졌다. 지우가 한 번, 진희가 한 번씩 서로에게 질문을 던지고, **상대가 진실**을 대답하지 못하면 **벌**으로 **미지근한** 콜라 한 잔을 **원**하는 게임이었다.

진희는 지우에게 **시시콜콜한** 질문들을 해댔고, 지우는 **친절히** 대답을 했다. 지우는 진희에게 왜 얼굴이 어두운지, 집에 안 좋은 일이 있는 것은 아닌지 등 **진지하고 심각한** 질문들로 진희를 **곤란하게** 했고, 진희는 계속 대답을 **거부**하고 콜라를 1 리터나 혼자 다 마셨다.

차가운 콜라도 1 리터를 마시면 배가 부를 텐데, 게다가 미지근한 콜라라서 진희는 탄산이 빠진 맛없는 콜라를 더 이상 마실 수 없을 만큼 마시고는, 도저히 안 되겠는지 조금씩 대답을 하기 시작했다. 지우는 진희가 **어려운 가정환경**에 할머니만 모시고 사는 **소녀가장**이라는 사실을 **비로소** 알게 되었다. 5 년 동안 같은 반이었지만 그런 줄은 **꿈에도 몰랐던** 지우는 너무나 속상하고 미안했다.

지우는 하던 게임을 **제쳐두고** 진희 앞에 앉아 진지하게 일진에서 나오라고 **설득하기** 시작했다. 일진은 나쁜 짓만 하고 다녀서 언제 학교에서 퇴학당해도 모를 일이 아니냐고, 그러면 할머니가 속상해하실 테니까 일진에서 나와서 둘이 같이 공부하자고, 할머니를

러 가서 **말동무도** 해드리고 싶다고, 이제 우리 둘이 친구하고 앞으로는 일진이랑 놀지 말라고.

진희의 하얀 얼굴이 붉어지고, 눈에는 그렁그렁 눈물이 맺히기 시작했다. 깜짝 놀란 지우는 왜 그러냐며, 내가 잘못한 게 있으면 미안하다고, 울지 말라고 하고 손으로 진희의 눈물을 **아주었다.**

"내가 엄마 아빠가 없어서 아무도 친구해 주지 않을 거라고 생각했었는데... 너무 외로워서 아무랑이라도 말동무하고 싶은 마음에 일진에까지 들어가게 된 거였는데... 이렇게 나한테 먼저 손 내밀어 줘서 진짜 고마워." 라며 진희는 울음을 **그치지** 않았다.

그런 진희가 너무 안쓰러워 지우는 진희를 살짝 안고 등을 **토닥이며** 말했다. "그만 울어, 내가 뭐라고. 나랑 친구 해줘서 내가 더 고마워. 이제 그만 뚝! 이제부터는 울지 말고 웃자."

지우의 어깨에 얼굴을 묻으며 진희가 말했다. "사실 나 너 처음 봤을 때부터 친구 하고 싶었어. 넌 너무 밝고 빛이 났거든. 나랑 다르게..."

"무슨 소리야, 진희 넌 우리 학교에서 제일 반짝이는데? 나야말로 너랑 친구 하고 싶었는데 한 번도 말을 건넬 기회도 없고, **자신도 없어서** 혼자 멀리서 바라만 봤었어, 5 년 동안." 지우가 창밖을 쳐다보며 쑥스러운 듯 **조용히 고백했다.**

그 말에 진희의 얼굴에 생기가 돌고, 눈물이 뚝 그치고, 입가에 큰 미소가 걸렸다. "그럼 진우 너, 나랑 오늘부터 친구 하는 거야! 우리 오늘부터 1 일이다!"

진희는 수학여행에서 돌아오자마자 약속한 대로 일진에서 바로 **탈**했다. 그리고 지우는 진희와 친구라는 이름으로 마음을 터놓고 만나는 사이가 되었다.

매일 학교에 같이 가고, 학교가 끝나면 진희네 집에 들러 진희 할머니의 말동무가 되어드리고, 진희와 함께 숙제를 하고 집에 가는 진우. 진희를 볼 때마다 심장이 평소보다 더 크게 뛰고 쿵쾅거렸지만 지우는 **아직** 그게 어떤 감정인지 몰랐다.

6 학년 때는 아쉽게도 같은 반이 되지는 못했지만, 그래도 지우와 진희는 **여전히 절친한 친구**였고 항상 함께였다. 2 년 동안 매일 함께 **등교하던** 초등학교를 **졸업**하고, 지우는 남자중학교에, 진희는 여자중학교에 **입학**하게 되었다.

진희는 이모가 할머니를 모시겠다고 찾아와, 이모와 함께 이사를 갔다. 지우네 집과는 더 멀어졌지만 진희의 학교와는 오히려 더 가까워 걸어서 다닐 수 있는 거리였다. **방과 후 수업**과 많은 **활동**, 숙제, 그리고 먼 거리 때문에 서로 만날 시간이 없었고, 지우는 멀리 이사 간 진희가 점점 더 많이 보고 싶어 졌다. **유행하는 발라드 가사**는 다 자기 이야기같이 느껴졌다.

어느 날 진희가 다니는 여자중학교 교문 앞에서 진희를 기다리기로 마음먹은 지우는 거울 앞에서 **한껏 을 부리는** 자신을 **마주하게** 되었다.

'왜...?'

진희가 교문 앞에서 나를 보고 **깜짝 놀라며 반가워할** 모습을 떠올리며 한껏 들떠있는 자신을 보고 지우는 그제야 깨달았다. 진우에게 진희는 그냥 친한 친구가 아니었다는 것을. 그동안 느낀, 그리고 지금 느끼고 있는 이 감정이 동정이나 우정 같은 게 아니라는 것을.

대문을 박차고 뛰어나가 꽃집에서 빨간색 장미꽃 한 송이를 샀다. 꽃을 등 뒤에 숨긴 채 진희 학교 앞에서 진희가 나오기만을 기다렸다. 거의 한 달만에 처음으로 진우를 본 진희는 너무 기쁜 나머지 친구들을 뒤로하고 마구 달려갔다. 그런 진희에게 지우는 등 뒤에 숨겼던 빨간 장미꽃을 내밀며 큰 소리로 **외친다**.

"우리 오늘부터 1 일이다!"

요약 Summary

부모님의 사랑을 듬뿍 받고 자란 지우는 밝고 마음씨가 따뜻한 아이였다. 그런 지우에게 5년 내내 같은 반이었던 진희라는 아이는 왠지 안쓰럽고 도와주고 싶은 마음이 드는 친구였다. 키도 크고 예뻤지만 어두웠으며, 일진에까지 들어간 진희. 기대하던 수학여행 때 한 번도 말을 해 본 적 없던 진희와 친구를 맺을 기회가 생기게 되었는데...

Ji-woo was a bright and warm-hearted child who grew up receiving plenty of love from his parents. Ji-woo felt sorry for Jin-hee, who had been in the same class with him for five years, and wanted to help her somehow. Although she was tall and pretty, Jin-hee looked gloomy, and even ended up joining a group of bullies. During the school trip that Ji-woo had been looking forward to, he had the opportunity to become a friend with Jin-hee, whom he had never talked with...

사용된 단어들 **Vocabulary List**

- **사랑**: love
- **감정**: emotion
- **폭풍우**: storm
- **초등학교**: elementary school
- **자랑스럽다**: to be proud (of)
- **무한한**: unlimited
- **전제하에**: under the premise
- **혼자**: alone
- **인기**: popularity
- **근심**: worry
- **표정**: expression
- **지나친 관심**: excessive concern
- **대부분**: mostly
- **소위**: so-called
- **일진**: school gangs
- **안쓰럽다**: to feel sorry (for)
- **인연**: relationship
- **동정**: sympathy
- **매운탕**: spicy fish stew
- **장하다**: to be magnificent
- **궁전**: palace
- **배경**: background/backdrop
- **꽃나무**: cherry blossom tree
- **피로**: tiredness
- **온천**: hot spring
- **비록**: although
- **소중하게**: preciously
- **간직하다**: to cherish
- **기대하다**: to look forward (to)
- **당일 치기 여행**: day-trip
- **1 박 2 일**: 1 night 2 days (trip)
- **베개싸움**: pillow fight
- **담력시험**: courage test

115

- **진실게임**: Truth or Dare game
- **진솔한 대화**: honest talk
- **미소**: smile
- **기회**: opportunity
- **친해지다**: to be a friend (with)
- **정한 표현**: precise expression
- **어든**: anyway
- **가까워지다**: to get closer
- **교문**: school gate
- **호루라기 소리**: sound of whistle
- **날카게**: sharply
- **집결**: to assemble
- **반장**: class president
- **체육복**: sports uniform
- **피곤하다**: tired
- **도시락**: lunch box
- **김밥**: a Korean dish named Gimbap, seaweed rice roll
- **부여**: Buyeo (a city in Korea)

- **숙소**: accommodation
- **짐을 풀다**: to unpack
- **관광**: sightseeing
- **역사**: history
- **관심**: attention
- **의외로**: unexpectedly
- **일대일**: one to one
- **폭**: attack
- **진심어린 사과**: sincere apology
- **역으로**: reversely
- **반복하다**: to repeat
- **스럽다**: to shy/to be embarrassed
- **들뜨다**: to be excited
- **교차하다**: to cross
- **르다**: to intend (to)
- **아쉽다**: to be regretful/to feel sorry
- **심**: greed
- **마주치다**: to bump into
- **어색하다**: to be awkward
- **살짝**: slightly

116

- **제안**: suggestion
- **기**: chilly air
- **상대**: opponent
- **진실**: truth
- **벌**: penalty
- **미지근한**: tepid
- **원**: one shot = bottoms up
- **시시콜콜**: every little thing
- **친절히**: kindly
- **진지한**: careful/earnest
- **심각한**: serious
- **곤란하다**: to have difficulty
- **거부**: denial
- **어려운 가정환경**: difficult family environment
- **소녀가장**: a female child breadwinner
- **비로소**: for the first time
- **꿈에도 모르다**: not to even know/to never knew
- **제쳐두다**: to set aside
- **설득하다**: to persuade
- **러가다**: to pay a visit (the elder)
- **말동무**: companion
- **아주다**: to wipe
- **그치다**: to stop
- **토닥이다**: to pat
- **자신이 없다**: to have no confidence
- **조용히**: quietly
- **고백하다**: to confess
- **탈**: withdrawal
- **아직**: yet
- **여전히**: still
- **절친한 친구**: best friend
- **등교하다**: to go to school
- **졸업**: graduation
- **입학**: admission (school)
- **방과 후 수업**: after school class
- **활동**: activity
- **유행하는 발라드 가사**: popular ballad lyrics
- **어느날**: one day

- **한껏 을 부리다**: to dress up oneself up as best as one could
- **마주하다**: to face
- **깜짝 놀라다**: to be surprised
- **반가워하다**: to be delighted
- **외치다**: to shout (out)

1. 지우는 어떤 아이인가요?

   A. 이기적이다.

   B. 나쁘다

   C. 착하다

   D. 개인적이다

2. 지우가 생각하는 진희의 모습이 아닌 것은?

   A. 예쁘다.

   B. 안쓰럽다

   C. 근심이 가득하다

   D. 이기적이다

3. 지우가 수학여행에서 하고 싶었던 일이 아닌 것은?

   A. 베개싸움하기

   B. 간식 사러 가기

   C. 담력시험하기

   D. 진희와 친해지기

4. 지우와 진희가 한 게임은?

   A. 진실게임

   B. 술래잡기

C. 담력시험

D. 부루마블 게임

5. 지우가 중학교에 입학하고 난 후 진희에게 느낀 감정은?

A. 동정

B. 우정

C. 연민

D. 사랑

정답 Answers

1. C – Ji-woo is kindhearted
2. D – Ji-woo thinks Jin-hee is tall and beautiful, but miserable and full of worries.
3. B – Ji-woo wanted to do the pillow fight, courage test, Truth or Dare game, and be closer with Jin-hee.
4. A – Ji-woo and Jin-hee had a pillow fight and played the Truth or Dare game.
5. D – Ji-woo realized after he entered middle school that his feelings towards Jin-hee were not sympathy or friendship but love.

CHAPTER 12

고양이 샴블/ SHAMBLES, THE CAT

내 이름은 샴블. 나는 **고양이**다.

2009 년 11 월 1 일, 나는 **푸들**이라는 **개** 이름을 가진 엄마의 뱃속에서 다른 두 명의 **형제자매**와 함께 태어났다. 태어나서 처음 만난 **엄마**는 아주 작고 아름다웠다. 아빠는 보이지 않았지만 아낌없이 사랑을 주는 엄마만 있으면 충분했다.

사람 엄마 아빠가 내 형의 이름을 지어줬다. 형은 V.I.P., 브이아이피. 아주 중요한 사람이라는 뜻이라고 했다. 줄여서 "빕"이라고 불렀다. 그런데 나와 내 여동생 이름은 이 집에 같이 사는 사람 엄마 아빠가 아닌, 다른 집에 사는 사람들이 와서 지어줬다. 나는 샴블, 내 여동생은 이치코.

'이 이상한 **조합**은 뭐지? 우리가 **미국**이랑 **일본**에서 따로 태어난 고양이도 아니고? 근데 이 사람들은 누구야?'

사람 엄마 아빠가 내 말을 알아들었나 보다. "샴블아, 이치코야, 이 친구들은 와히다와 유스리라고 해. **남아공**에서 온 부부인데, 너희 **남매를 입양**해서 키울 거란다. 엄마 **젖** 건강히 먹고 2-

3 달이 지나고 나서 말야. 그동안 엄마 사랑 듬뿍 받으며 지내렴."

'음, 엄마, 나는 엄마 젖 많이 많이 먹을래요.'

하지만 내 옆에서 엄마의 젖을 함께 먹는 건 내 **형**과 **여동생**뿐이 아니었다.

다른 고양이들보다도 유난히 몸집이 작은 엄마의 사랑은 대단했다. 같은 시기에 똑같이 세 마리의 아이들을 낳은 진이라는 엄마 고양이가 있었는데, 두 명은 정상적으로 태어났지만, 남은 한 명은 양 팔이 엑스자로 휘어진 **장애**를 갖고 태어났다. 그래서였는지는 모르겠지만 우리 엄마랑은 다르게 진 아줌마는 애기들 젖을 안 주고 자꾸 피해 다녔다. 참 이상했다, 저 애들도 **배가 고플** 텐데...

그 아이들이 배가 고파서 **대는** 소리를 듣고 우리 엄마가 벌떡 일어나 그 아이들을 품고 젖을 주기 시작했다.

'엄마, 엄마! 나도 배고파요!'

나와 형, 그리고 내 여동생은 다 같이 엄마한테로 꿈틀꿈틀 **기어가서** 엄마젖을 그 아이들과 함께 **공유했다.** 다른 애들이 우리 엄마젖을 먹는 게 좋지는 않았지만, 쟤네들 엄마가 젖을 안 주니까 어쩔 수 없다고 생각했다. 나도 우리 엄마처럼 착하게 태어났는가 보다.

며칠 지나지 않아 새까만 **색**의 장애 고양이 친구는 **세상을 떠나버렸다**. 그리고 두 명의 친구가 남았다. 사람 엄마 아빠가 그 아이들에게 이름을 지어줬는데, **흰색과 검은색** 옷을 입고 코에 검은 점이 있는 시끄러운 남자아이는 찰리 채플린의 이름을 따서 찰리라고 지어줬고, 흰색과 **노란색** 옷을 입은 자그마한 여자아이는 찰리와 어울리는 이름이라며 수잔이라는 이름을 지어줬다.

그렇게 우리 세 형제자매와 찰리랑 수잔, 이렇게 다섯 명 모두가 우리 엄마의 젖을 나눠 먹으며 함께 자랐다. 난 그런 우리 엄마가 참 좋았고, **존경스러웠다**.

우리 엄마는 꼬리가 남달랐다. 다른 고양이들은 모두가 길고 긴 꼬리를 살랑살랑 **흔들어대는**데, 우리 엄마는 **꼬리**가 구불구불하게 구부러져 있어서 꼬리가 아주 짧았다. **유전**이라는 것에 대해서 나는 그렇게 배우게 되었다. 내 꼬리도, 우리 형 법의 꼬리도, 그리고 내 여동생 이치코 꼬리도 전부 다 아주 **짧다**. 그중에 내 꼬리가 제일 짧아서 흔들려면 **엉이**부터 힘차게 흔들어야 했다.

우리 엄마의 젖만으로는 배가 덜 부르다 싶어졌을 때, 사람 엄마 아빠가 엄마한테 주는 물고기 모양을 한 딱딱한 사료라는 것을 맛보기 시작했다.

'헉, 이거 뭐야? 왜 이렇게 맛있지? 속에 **생선**이 들어있나? 아니면 이게 작은 생선이라는 건가? 엄마 젖보다 훨씬 맛있는데!'

그 뒤로 나랑 형제, 자매, 친구들은 엄마 사료를 마구 먹었고, 자고 싶어 질 때만 엄마한테 가서 엄마 젖을 물고 잤다. 그러자 사람 엄마 아빠가 아가들 사료라며 더 작고 귀여운 **물고기** 모양 사료를 우리에게 사다 줬다.

'와, 형! 형! 이리 와서 이거 먹어봐! 이건 더 맛있어! 작아서 먹기도 쉽고!'

우리는 점점 **사료**만 먹게 되었고, 그러던 어느 날 엄마가 사라졌다. 엄마가 놀러 나갔나? 우리 두고 아무 데도 간 적이 없었는데 어디 갔지? 하고 잠깐 찾다가 형이랑 장난감 가지고 노느라고 엄마 찾는 것을 잊고 하루 종일 놀았다. 잘 시간이 됐는데도 엄마가 안 와서 냥냥 하고 **울었더니**, 사람 엄마 아빠가 와서 이야기해줬다.

"푸들은 병원에 갔어요. 이틀 밤 자고 나면 올 거니까 울지 말고 우리랑 같이 자자. 엄마 아픈 거 아니니까 걱정하지 말고, 코 자자."

며칠 있다가 진짜로 엄마가 돌아왔다. 엄마 배에 뽀송뽀송한 이 사라지고, 하얀 **붕대**가 붙어 있었고, **코를 르는** 약 냄새가 났다. 엄마가 돌아온 것은 기뻤지만 엄마 젖을 먹을 수가 없어서 속이상했다. 그래도 엄마 품에 안겨서 잘 수 있어서 따뜻해서 좋았다.

알고보니 엄마는 앞으로 더 아이들을 갖지 않게 **불임수술**이라는 것을 했다고 하더라. '우리 형제자매만 있으면 되지 뭐~'라고 생각했다.

엄마가 붕대를 풀고 난 후로는 젖이 나오지 않았다. 아무리 쪽쪽 **빨아도** 나오지 않았지만, 그래도 잘 때면 엄마 품에 안겨서 나오지 않는 젖을 빨아댔다. 그러면 잠이 스르륵 들곤 했으니까.

그러던 어느 날, **태어나고** 얼마 안 됐을 때 나랑 내 여동생에게 이름을 지어줬던 사람**부부**가 우리를 찾아왔다. **이사를 갈** 시간이 됐나 보다.

'아, 그러면 엄마랑도 헤어지는 건가?'

갑자기 엄마를 못 본다는 사실에 너무 큰 **충**이 왔다. 엄마를 보고 계속 울었는데, 사람들은 우리한테 인사를 시키며 가자고 했다.

'엄마! 엄마!'

정말 너무나 슬펐다. 이렇게 **헤어지고** 싶지 않았다. 앞으로도 잘 때 엄마 젖을 물고 자고 싶었는데...

그런데 대문을 나선 이 부부는 50 **발자국**도 채 걷지 않고 멈췄다. 우리 엄마가 있는 집의 옆 옆 옆집이었던 것이다. 내가 뛰어가면 1 분도 안 걸려서 **도착할** 거리였다. 괜히 엉엉 울었다고 생각했다. **매일매일** 엄마 보러 가야지 하고 생각했다.

새로운 집에 와서 새로운 사람 엄마 아빠와 함께 하는 시간은 **예상했던** 것보다 더 즐거웠다. **맛있는** 사료, 재밌는 **장난감**들, 그리고 폭신한 **침대**. 우리를 사람 침대 위에서 자게 해 줬다. **매트리스**가 너무나 **폭신폭신했고**, **이불**속에 쏘옥 들어가면 너무나 따뜻하고 좋았다. 엄마젖 물고 자는 것보다 솔직히 조금 더 좋아졌다. 그래도 종종 뛰어가서 엄마를 보고 인사하고 오기는 했다.

여동생 이치코는 커가면서 **이상한** 행동을 하기 시작했다. 눈에서는 눈물이 줄줄 흐르고, 사람 엄마 옷을 **쳐가서** 빨아대다가 천을 먹어버렸다. 사람 엄마 아빠는 깜짝 놀라서 이치코를 **동물병원**에 데려갔는데, 선생님이 엄마 젖을 먹고자 하는 **행위**를 옷에 대고 **표출**하는 거라고, 조금 더 크면 안 그럴 거라고 걱정 말라고 했단다. 내 동생이지만 정말 이상하다고 생각했다.

그렇게 나와 내 동생은 행복한 나날을 보냈다, 사람 아기가 태어나기 전까지...

사람 엄마는 점점 배가 동산처럼 불러오더니 어느 날 조그맣고 하얀 사람 **아기**를 낳았다. 그 뒤로 우리는 예전처럼 침대에서 잘 수 없었고, 소파로 밀려나게 되었다. 그래도 괜찮다고 생각했다, 사람 아기가 우리보다 많이 어렸고 말도 못 했으니까.

하지만 사람 아기가 한 살이 될 즈음, 사람 엄마 아빠는 우리를 집주인인 옆 옆집에게 맡기고 남아공으로 떠나버렸다. **소음**을 싫어하던 이치코는 그 집에 다른 고양이들이 많아서 맞은편 동네의 조용한 집을 골라 **떠났다**. 나는 그냥 있으라는 곳에 있었는데, 새 집에서 나를 또 다른 집으로 입양을 보내겠다고 하는 것이다. 큰 길가에 차가 많이 다니는 어떤 집으로... 그 이야기를 들은 내 제일 첫 사람 엄마 아빠는 나를 다시 데려왔다. 또 입양돼서 떠나야 할까 봐 내심 걱정했지만, 우리 엄마는 여전히 날 반겨줬고, 형 빕은 처음엔 나를 모른척하다가 **일주일**쯤 지나서 다시 반겨줬다. 이제 다른데 안 가고 이 집에서 평생 살았으면 좋겠다고 생각했다.

몰랐다. 이 집의 사람 엄마가 이렇게 따스한 사람이었는지.

내가 다시 온 후부터 나에게 매일 말도 하고, 침대에서 자는 걸 좋아한다는 걸 들었는지 낮잠을 항상 침대에서 잘 수 있게 해줬다. 이제 이 사람 엄마가 책상에서 일을 하면 나는 의자 뒤쪽 남아있는 **공간**에 함께 앉아서 자고, 사람 엄마가 아침에 눈을 떠서 침실 문을 열어주면 침대로 뛰어올라가 사람엄마의 **팔베개**를 하고 함께 누워서 잤다. 사람 엄마는 나를 "**아들**"이라고 부르기 시작했다. 그래서 나도 아들이 되어주기로 마음먹었다.

우리 진짜 엄마 푸들은 찰리가 커서 **세를** 너무 부려서 화가 나서 집을 나갔다. 우리 가족들은 새로 살 집을 참 잘 고르는 것 같다. 근처에 개들을 아주 많이 키우는 아줌마네 집인데, 그 집에 들어가서 유일한 고양이로 사랑을 듬뿍 받고 살게 됐다. 이 동네가 좋은 점은 남의 집에 놀러 가도 사람들이 뭐라고 하지 않고 반겨줘서, 헤어진 **가족**들을 만나는 것도 쉽다는 것이다. 나는 가끔 엄마랑 여동생 이치코를 만나서 이야기를 나누곤 했다. 거의 대부분 우리 사람 엄마가 얼마나 나를 사랑해주는지에 대해서였지만.

사람 엄마가 어느 날 갑자기 전화를 받고는 엄청나게 놀라서 집을 나갔다가 푸들 엄마를 데리고 돌아왔다. 엄마는 죽어 있었다. 내가 겪은 두 번째 **죽음**이었다. 첫 번째는 장애 고양이 친구, 두 번째는 우리 엄마... 한동안 아팠다고, 버티지 못하고 죽었다고... 괜찮다고, 이제 안 아프다고...

'죽음이란 과연 무엇일까? 나도 언젠간 죽게 되겠지? 죽으면 어디로 가게 되는 걸까?' **슬**과 **궁금증**이 동시에 몰려왔다. 답은 나도 알 수 없었다.

나이가 들면서 나는 점점 잠이 많아지기 시작했다. 사람 엄마가 **아침에** 침실 문을 열면 나는 쪼르르 들어가서 엄마 팔베개를 하고 자기 시작해서, 점심때까지 **혼자** 남아 계속 잤다. 사람 엄마 아빠가 점심밥을 먹는 냄새가 나면 그제야 일어나 생선 좀

달라고 **식탁** 아래에 앉아서 기다려 본다. 운이 좋으면 신선한 생선도 먹을 수 있으니까. 생선이 없는 날은 그릇 치우는 것까지 보고 사료를 먹으러 간다. 가끔 캔이 먹고 싶다고 캔 내놓으라고 울면 사람엄마는 어김없이 알아듣고 **캔**을 따서 갖다 바친다. 나는 고양이 엄마도, 사람 엄마도 참 잘 만난 것 같다고 생각했다. 그렇게 배를 불리우고 다시 또 자러 간다. 자고 또 자고... 나의 하루는 자는 것, 먹는 것, 그리고 정원에 나가서 바람 쐬고 **새들을 구경하는** 것 정도로 간단해졌다.

사람 엄마는 내가 10 살이 되고 갑자기 많이 아파서 병원에 다녀온 이후부터 걱정을 하기 시작했다. "우리 아들, 아들이 엄마 떠나면 엄마는 어떻게 살지? 엄마가 우리 아들 보고 싶어서 어떡하지? 우리 아들 팔베개해주는 기쁨으로 사는데, 우리 아들.... 오래오래 건강하게 같이 살자."

사람 엄마가 슬퍼할까 봐 나는 더 열심히 먹고, 더 열심히 잤다. 그러면 더 오래 살겠지 싶었다.

어느덧 12 살이 되었고, 나는 **감기만 걸려도** 며칠씩 밥을 못 먹고 살이 쭉쭉 빠지고, 몸을 겨누기도 힘들게 되었다. 밥을 잘 못 먹으면 사람 엄마는 캔에 **비타민**에 별의별 맛있고 몸에 좋은 것들을 다 챙겨준다. 한동안은 거의 매 3 시간마다 맛있는 캔을 계속 조금씩 먹기도 했다.

'아픈 것도 나쁘지 않네~!'

그러다 정말 많이 아프게 되었다. 더 이상 사료는커녕 캔도 먹을 수가 없었고, 간신히 물만 먹으며 **버보려고** 했지만, 서있을 힘도 점점 사라지기 시작했다.

사람 엄마는 나를 동물병원에 매일 데려갔고, **영양제**와 **주사**를 맞혀줬다. 며칠 전, 나는 알았다. 이제 시간이 다 되어간다는 것을... 병원에 갔을 때 있는 힘을 다해 주사를 **뿌리치며** 말했다.

'나 이제 병원 안 올 거예요! 주사 그만 놔요!'

사람 엄마는 영양제를 맞아야 나을 수 있다고 **울먹거렸다.** 그리고 그다음 날에도 어김없이 나를 병원에 데려갔고, 나는 **포기했다.** 사람 엄마가 하고 싶다면 하라고, 나는 이제 뿌리칠 힘도 없다고, **흐리멍덩한 눈**으로 그저 주사를 놓으라며 앉아만 있었다. 그렇게 두 번을 더 갔는데, 이제 사람 엄마도 **눈치 것 같았다.** 아니, 눈치는 진작에 챘으리라, 이제 받아들이게 된 것 같았다. 내가 떠날 때가 왔다는 것을...

나는 사람 엄마에게 말했다.

'엄마랑 살았던 10년이 나에게는 정말 행복한 시간이었어요. 엄마 팔베개만큼 따뜻하고 좋았던 것은 없었어요. 엄마, 내가 가도 많이 울지 말고, 앞으로 오래오래 건강하고 행복하게 살아요. 엄마, 고마워요. 사랑해요.'

사람 엄마의 눈에서는 눈물이 계속 펑펑 흘러내렸지만, 입에는 **미소를 짓고** 있었다. 사람 엄마는 내가 엄마의 웃는 모습을 **기억하며** 떠나길 바랐던 것 같았다.

"엄마가 우리 샴블 세상에서 제일 사랑해. 엄마는 앞으로도 평생 우리 아들 사랑할 거야. 이제는 **아프지** 말고, 잘 가렴. 고마워 우리 샴블, 미안해 엄마가... 엄마가 사랑해 우리 아들. 아들 안녕..."

엄마는 그렇게 나를 **안심시키려고** 했고, 내가 떠나면 나는 안 아플 거라고 했다. 나는 우리 사람 엄마가 나를 쳐다보는 그 따뜻한 눈을 더 보고 싶었지만, 이제는 정말 힘이 하나도 없었다.

엄마가 괜찮다고 하니 나도 이제 가보려고 한다.

'가면 우리 푸들 엄마를 만날 수 있을까? 그리고 거기에서 기다리면 사람 엄마도 나를 보러 언젠간 오지 않을까?' 또 여러 궁금증이 들기 시작했지만 역시 아무도 답을 해주지는 않았다.

'그래, 그럼 이제 내가 가서 **알아내** 보자. 엄마 나 먼저 가 있을게요. 엄마 사랑해요. 고마워요. 안녕.'

그렇게 나는 행복했던 삶을 마치고 2021 년 4 월 24 일에 **영원히** 눈을 감았다.

요약 Summary

'고양이 샴블이 태어나서 죽을 때까지의 일생을 샴블의 관점에서 바라본 단편소설.'

샴블은 태어나기 전부터 입양될 곳이 정해져 있었다. 샴블에게는 다른 고양이가 낳은 아이들에게도 젖을 나눠주던 사랑이 넘치는 고양이 엄마가 있었고, 엄마와 헤어지고 입양을 간 집에서 만난 남아공 부부와 재미있고 행복한 청소년기를 보냈다. 그러던 중 사람 아이가 태어났고, 남아공 부부와 아기는 귀국을 하게 되었다. 우여곡절 끝에 샴블이 태어난 집으로 다시 돌아오게 되었고, 그때부터 10년 동안 사람 엄마와 행복한 추억을 만들었다. 점점 나이가 들어가는 샴블에게는 알고 싶은 이야기가 있었다. 죽고 난 후에는 고양이 엄마를 만나게 되는 걸까? 거기에서 기다리면 사람 엄마도 나를 만나러 오는 걸까?

'A short story of Shambles' life from his birth to death, told from his point of view.'

Before Shambles was born, it had already been determined where he would be adopted. Shambles had a lovely mom cat, which even gave her milk to other kittens. After saying goodbye to his mom, Shambles spent his adolescence with his new human family, a South African couple. A while later, the couple had a baby, and they went back to their country. After many twists and turns, Shambles went back to the house where he had been born, and he created delightful memories with his human mother for 10 years from that

133

moment on. Shambles, who was getting older, wanted to know one final thing: 'Will I ever meet my cat mom after I die? And, if I wait there, will my human mom come to see me?'

사용된 단어들 Vocabulary List

- **고양이**: cat
- **푸들**: poodle (dog)
- **개**: dog
- **형제자매**: brothers and sisters
- **엄마**: mom
- **조합**: combination
- **미국**: the United States
- **일본**: Japan
- **남아공**: South Africa
- **남매**: siblings
- **입양**: adoption
- **젖**: milk
- **형**: elder brother
- **여동생**: younger sister
- **장애**: disability
- **배가 고프다**: to be hungry
- **낑낑대다**: to groan
- **기어가다**: to crawl
- **공유하다**: to share
- **색깔**: color
- **세상을 떠나다**: to pass away, to die
- **흰색**: white
- **검은색**: black
- **노란색**: yellow
- **존경하다**: to respect
- **(꼬리를) 흔들다**: wag (a tail)
- **꼬리**: tailbone
- **유전의**: genetic
- **짧다**: to be short
- **엉덩이**: butt, buttocks, bottom
- **생선**: fish
- **물고기**: fish
- **사료**: feed
- **울다**: to cry
- **털**: fur
- **붕대**: bandage
- **코를 찌르는**: pungent

- **불임수술**: sterilization operation
- **빨다**: to suck
- **태어나다**: to be born
- **부부**: couple
- **이사를 가다**: to move
- **충**: shock
- **헤어지다**: to separate
- **발자국**: footstep
- **도착하다**: to arrive
- **매일매일**: everyday
- **예상하다**: to expect
- **맛있는**: tasty, delicious
- **장난감**: toy
- **침대**: bed
- **매트리스**: mattress
- **폭신폭신하다**: to be soft
- **이불**: blanket
- **이상하다**: to be strange
- **훔쳐가다**: to steal
- **동물병원**: animal hospital
- **행위**: act
- **표출**: expression
- **아기**: baby
- **소음**: noise
- **떠나다**: to leave
- **일주일**: a week
- **공간**: space
- **팔베개**: pillow on one's arm
- **아들**: son
- **세**: being mean to newcomers
- **가족**: family
- **죽음**: death
- **슬픔**: sadness
- **궁금중**: curiosity
- **아침에**: in the morning
- **혼자**: alone
- **식탁**: (dining) table
- **캔**: can
- **새**: bird
- **구경하다**: to watch
- **감기에 걸리다**: to have a cold

- **비타민**: vitamin
- **버티다**: to endure, to bear
- **영양제**: nutritional supplements
- **주사**: injection
- **뿌리치다**: to shake off
- **울먹이다**: to be about to cry
- **포기하다**: to give up

- **흐리멍텅한 눈빛**: a glassy look, hazy(lackluster) eyes
- **눈치채다**: to become aware of
- **미소를 짓다**: to smile
- **기억하다**: to remember
- **아프다**: to be sick
- **안심하다**: to relieve
- **알아내다**: to find out
- **영원히**: forever

1. 샴블과 함께 엄마 젖을 먹지 않은 고양이는?

    A. 빕

    B. 이치코

    C. 진

    D. 찰리

2. 샴블의 여동생 이치코가 한 이상한 행동은?

    A. 천을 먹는 행동

    B. 침대에서 자는 행동

    C. 사람 아기를 건드리는 행동

    D. 고양이 엄마를 만나러 가는 행동

3. 샴블과 10 년을 함께 보낸 사람 엄마가 한 걱정은?

    A. 샴블이 사람 밥을 달라고 조르는 것

    B. 샴블이 죽는 것

    C. 샴블이 사료를 안 먹고 캔만 좋아하는 것

    D. 샴블이 다른 집으로 고양이 엄마와 여동생을 만나러 다니는 것

4. 샴블이 죽기 전에 궁금해했던 이야기는?

    A. 입양 가는 집이 어디인지

    B. 여동생 이치코가 어디에 사는지

C. 영양제를 맞으면 살 수 있는지

D. 죽고 나면 고양이 엄마를 만날 수 있을 것인지

5. 샴블이 죽은 날짜는?

A. 2009년 11월 1일

B. 2019년 4월 24일

C. 2020년 1월 1일

D. 2021년 4월 24일

정답 Answers

1. C – Shambles shared mom's milk with his siblings, V.I.P., and Ichiko, and his friends, Charlie, Susan, and a disabled black kitten.
2. A – Ichiko ate fabric.
3. B – Shambles' human mother was apprehensive about Shambles' death.
4. D – Shambles was curious about what would happen after his death: if he could meet his cat mom there, and if his human mom would visit him if he waited there.
5. D – Shambles died on 24th April 2021.

CONCLUSION

We hope you've enjoyed our stories and the way we've presented them. Each chapter, as you will have noticed, was a way to practice a language tool that you will regularly use when speaking Korean.

Never forget: learning a language doesn't *have* to be a boring activity if you find the proper way to do it. Hopefully, we've provided you with a hands-on, fun way to expand your knowledge of Korean, and you can apply your lessons to future ventures.

Feel free to use this book in future when you need to remember vocabulary and expressions—in fact, we encourage it.

Believe in yourself and never be ashamed to make mistakes. Even the best can fall; it's those who get up that can achieve greatness! Take care.

P.S. Keep an eye out for more books like this one; we're not done teaching you Korean! Head over to **www.LingoMastery.com** and read our articles and sign up for our newsletter. We give away so much free stuff that will accelerate your Korean learning, and you don't want to miss that!

MORE BOOKS BY LINGO MASTERY

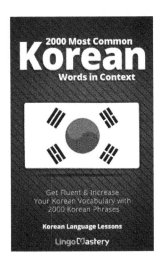

Have you been trying to learn Korean and find yourself having trouble discovering and practicing new words?

Are traditional textbooks just not helping you out as you expected them to?

Do you think that there should be a better way to learning new words in any target language?

If you answered *"Yes!"* to at least one of those previous questions, then this book is for you! We've compiled the 2000 Most Common Words in Korean, a list of terms that will expand your vocabulary to levels previously unseen.

Did you know that — according to an important study — learning the top two thousand (2000) most frequently used words will enable you to understand up to 84% of all non-fiction and 86.1% of fiction literature and 92.7% of oral speech? Those are *amazing* stats, and this book will take you even further than those numbers!

In this book:

- A detailed introduction with tips and tricks on how to improve your learning – here, you will learn the basics to get you started on this marvelous list of Korean terms!
- A list of 2000 of the most common words in Korean and their translations
- An example sentence for each word – in both Korean *and* English
- Finally, a conclusion to make sure you've learned and supply you with a final list of tips

Don't look any further, we've got what you need right here!

In fact, we're ready to turn you into a Korean speaker... what are you waiting for?

GET IT HERE

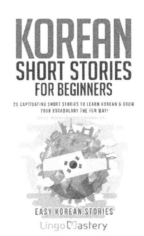

KOREAN
SHORT STORIES
FOR BEGINNERS

20 CAPTIVATING SHORT STORIES TO LEARN KOREAN & GROW
YOUR VOCABULARY THE FUN WAY!

EASY KOREAN STORIES
Lingo Mastery

Do you know what the hardest thing for a Korean learner is?

Finding PROPER reading material that they can handle...which is precisely the reason we've written this book!

You may have found the best teacher in town or the most incredible learning app around, but if you don't put all of that knowledge to practice, you'll soon forget everything you've obtained. This is why being engaged with interesting reading material can be so essential for somebody wishing to learn a new language.

Therefore, in this book we have compiled 20 easy-to-read, compelling and fun stories that will allow you to expand your vocabulary and give you the tools to improve your grasp of the wonderful Korean language.

How **Korean Short Stories for Beginners** works:

- Each chapter possesses a funny, interesting and/or thought-provoking story based on real-life situations, allowing you to learn a bit more about the Korean culture.
- Having trouble understanding Hangul? No problem – we provide you with the same story twice – one version fully

in Korean and the other version with English translation added below each paragraph, allowing you to fully grasp what you are reading!

- The summaries follow a synopsis in Korean and in English of what you just read, both to review the lesson and for you to see if you understood what the tale was about.
- At the end of those summaries, you will be provided with a list of the most relevant vocabulary from that chapter, as well as slang and sayings that you may not have understood at first glance.
- Finally, you'll be provided with a set of tricky questions in Korean, giving you the chance to prove that you learned something in the story. Don't worry if you don't know the answer to any — we will provide them immediately after, but no cheating!

We want you to feel comfortable while learning Korean; after all, no language should be a barrier for you to travel around the world and expand your social circles!

So look no further! Pick up your copy of **Korean Short Stories for Beginners** and level up your Korean language skills *right now*!

GET IT HERE

Are you finding it tough to follow dialogues on your favorite Korean series and movies?

Do you want to have conversations with Korean speakers like a native?

If your answer to any of the previous questions was *'Yes'*, then this book is for you!

One of the most crucial skills you will gain as a language learner is the ability to speak like a native. Using the right words, tone, and formality is key to mastering the language, and Korean is no different!

Because of this, we have compiled **OVER ONE HUNDRED** conversational Korean stories for Beginners along with their translations, allowing new Korean speakers to obtain the necessary tools to know how to set a meeting, rent a car or tell a doctor that they don't feel well. If speaking the language like a native is your goal, this book is for you!

How Conversational Korean Dialogues works:

- Each new chapter will have a fresh, new story between two people who wish to solve a common, day-to-day issue that you will surely encounter in real life.
- A Korean version of the conversation will take place first. Here, we will challenge your skills by allowing you to read the dialogue in its original tongue, before moving on to the English translation.
- Accurate English translations follow each Korean conversation, providing you with the opportunity to understand everything that has been said.
- A helpful introduction and conclusion that will offer you important strategies, tips and tricks to allow you to get the most out of this learning material.

We want you to feel comfortable while learning the tongue; after all, no language should be a barrier for you to travel around the world and expand your online and offline social circles!

So, look no further! Pick up your copy of **Conversational Korean Dialogues** and start learning Korean *right now*!

GET IT HERE

Made in the USA
Las Vegas, NV
13 June 2022

50154135R00085